D1368716

Wilma Kottke – Inge Hübers-Kemink

LA BOÎTE À IDÉES DES PETITS

à partir de trois ans

casterman

TABLE DES MATIÈRES

AVANT-PROPOS

Nous dédions ce livre à nos enfants : Benjamin, Dennis, Patrick, Mareike, Jenny et Phillip.

Le bricolage est une activité intéressante pour les enfants, car elle favorise énormément la créativité, comblant ainsi certaines lacunes des jouets achetés dans le commerce. En effet, ceux-ci offrent aux petits un cadre de jeu clairement défini, alors que les objets bricolés peuvent être utilisés de nombreuses manières. Avec de la simple pâte à modeler, un tout jeune créateur peut ainsi façonner de multiples variantes d'un objet en fonction de son habileté et de son imagination.

Les enfants sont par nature désireux de faire des expériences ; ils adorent tester sans cesse de nouveaux matériaux et méthodes. Après une phase suffisamment longue de découverte des matériaux, vous pouvez initier progressivement votre enfant au bricolage proprement dit. Il va de soi que les plus jeunes auront besoin de votre aide, tandis que les enfants déjà familiarisés avec le bricolage (par exemple,

à l'âge préscolaire) pourront souvent réaliser les travaux proposés de manière pratiquement autonome.

Les idées présentées dans ce livre devraient vous aider à éveiller l'intérêt de l'enfant pour le bricolage. Les trois premiers chapitres sont classés par niveau de difficulté, tandis que les suivants renferment des propositions à réaliser à l'occasion de l'anniversaire d'un enfant ou d'une fête particulière. Enfin, vous trouverez au chapitre « Espaces de jeu » des conseils et propositions sur la façon d'intégrer dans un décor confectionné par les enfants et vous-même des objets vendus dans le commerce, afin que ceux-ci ouvrent de nouveau la voie à la créativité.

« Je ne sais pas quoi faire » est une phrase que vous n'entendrez plus que rarement dans la bouche de votre bricoleur en herbe.

Wilma Kottke
Inge Hübers-Kemink

Bricoler avec les tout-petits – pourquoi ?

À un moment quelconque de la prime enfance et peut-être même plus tôt, chaque enfant s'intéresse au papier. Il n'y a donc aucune raison de se fâcher lorsqu'il déchire un journal. Le plus simple est de lui donner une vieille revue ou un catalogue pour qu'il réalise ses premières expériences avec du papier. Il s'amusera à le faire craquer, à le froisser et à le déchirer. Il se familiarisera avec le matériau et observera les « réactions » de celui-ci. S'il est déjà capable de tenir un crayon, il sera fasciné de voir que celui-ci laisse une trace sur le papier. Lors du premier collage, il constatera avec surprise que des morceaux de papier collés ensemble ne se détachent pas sans peine. Il nous est parfois difficile, à nous adultes, de prêter attention à des choses aussi « insignifiantes », car nous pensons qu'elles vont de soi. Mais, pour un jeune enfant, il s'agit là d'expériences tout à fait nouvelles et sa curiosité naturelle le poussera à les reproduire sans cesse jusqu'à ce qu'il ait compris ce qui se passe et comment cela se passe. Laissez-lui donc suffisamment de temps pour appréhender les choses !

Proposez progressivement à votre enfant des matériaux différents à examiner et à manipuler. Il apprendra ainsi que le papier transparent, par exemple, est différent au toucher du papier de couleur. Certains matériaux sont durs et rigides, alors que d'autres sont mous et flexibles. Quelle est l'impression produite par la peinture ou par la colle à tapisser ? En fermant les yeux et en palpant vous-même ces matières, vous aurez une idée approximative de ce que peut sentir votre enfant. En effet, il ne découvre pas seulement les objets avec les yeux ou les mains, mais avec tous ses sens. Ces expériences sensorielles sont importantes pour son évolution. Toute entreprise nouvelle et réussie renforce sa confiance en lui. L'utilisation de la colle, des crayons et des ciseaux favorise le développement de ses capacités motrices. La diversité des matériaux de bricolage invite l'enfant à laisser parler son imagination. Lorsque la phase d'expérimentation est terminée, vous pouvez lui proposer des modèles de bricolage. Ne vous attachez pas de manière excessive à la perfection des photos et dessins contenus dans les livres de bricolage (comme dans celui-ci). Un jeune enfant ne peut créer des objets d'une telle précision. Lorsque vous bricolez avec lui, prenez donc du recul par rapport au modèle et aidez-le seulement si cela s'avère nécessaire.

Par ailleurs, il faut permettre aux enfants d'avoir leur propre style. En effet, si la réalisation de l'objet exige le respect de divers principes inhérents aux techniques de bricolage, tout le reste est le fruit de l'imagination du petit créateur.

Pour que l'enfant puisse prendre confiance en lui, il est capital qu'il puisse se dire : « C'est moi qui l'ai fait et ça servira. » Il faut absolument éviter de jeter aussitôt des objets qui ne sont pas impeccables. Si vous agissez de la sorte, il perdra rapidement toute envie de peindre ou de bricoler. Cherchez donc plutôt un endroit de la maison où l'on pourra voir le dernier bricolage réalisé.

Les jeunes enfants sont-ils réellement déjà capables de bricoler ? Est-il nécessaire d'investir du temps et des matériaux dans ce type d'activités ? Que peut-il en sortir ? Autant de questions pertinentes auxquelles nous tenterons de répondre.

Évitez d'attirer l'attention de l'enfant sur la perfection des objets présentés dans ce livre et d'attendre de lui des résultats comparables.

Considérez les bricolages de ce manuel comme des prépositions qui vous aideront à réaliser avec votre enfant quelque chose de personnel. Vous verrez comme il en sera fier.

Comment aider votre enfant ?

Ce livre renferme des conseils sur la manière dont vous pouvez initier votre enfant au bricolage. La collecte des matériaux, qu'il examinera avec la curiosité qui lui est propre, constituera déjà une incitation suffisante. Mais vous pouvez aussi entamer vous-même un bricolage. Vous constaterez alors que l'enfant viendra bien vite prendre place à vos côtés et participer au travail.

Après avoir choisi avec votre enfant l'objet à réaliser, expliquez-lui point par point ce qu'il devra faire. S'il ne comprend pas vos explications, formulez-les d'une autre manière. En tout cas, évitez de l'aider trop rapidement. Et quand vous le faites, veillez à ce que ce soit lui qui accomplisse le travail – et non vous.

Résistez à la tentation de mettre un terme rapidement à un travail en aidant trop l'enfant.

Au début, renoncez à choisir des bricolages longs et difficiles, car les enfants ne peuvent généralement pas se concentrer très longtemps sur une activité donnée et se désintéressent de celle-ci si elle dure trop. Si vous constatez que votre créateur n'a plus envie de poursuivre, différentes options s'offrent à vous :

- Répétez-lui combien son bricolage serait joli dans la cuisine, dans sa chambre ou dans une autre pièce de la maison.
- Chargez-vous de la plus grande partie des travaux de préparation (par exemple, déchirer du papier, coller un objet de façon à ce qu'il puisse déjà sécher) pour que l'enfant ait terminé plus rapidement.
- Offrez-lui une petite récompense (« Termine le bricolage, je rangerai ensuite à ta place »).
- Proposez à l'enfant de terminer le bricolage plus tard.

Si vous bricolez avec un groupe, il est souhaitable que chaque participant dispose de son propre matériel (ciseaux, crayons, colle). Préparez bien le travail de manière à disposer du temps et de la tranquillité nécessaires pour entourer les enfants et leur venir en aide lors du bricolage proprement dit. Cette préparation implique la reproduction du modèle pour chaque enfant et la collecte de tous les matériaux nécessaires.

S'amuser en bricolant

Notre longue expérience du travail avec des jeunes enfants nous a appris que les petits trucs suivants pouvaient s'avérer très précieux pour le bricolage. Certains d'entre eux vous paraîtront peut-être compliqués ou coûteux au départ, mais ils vous permettront ensuite d'économiser du temps, du travail et de l'argent. Associez immédiatement votre enfant à la préparation du bricolage; par la suite, il assumera cette tâche de façon de plus en plus autonome.

- Donnez toujours à votre enfant une blouse de travail. Prenez à cet effet un vieux corsage ou une chemise usagée dont vous ôterez le col (en surfilant éventuellement le bord) et raccourcirez les manches.
- Étendez un tissu de protection (par exemple, une toile cirée) sur la table.
- Lorsque vous utilisez des peintures à l'eau, recouvrez également la surface de travail de papier journal. En effet, celui-ci absorbe l'eau et les taches de couleur. Pour éviter les grandes inondations, remplissez le verre d'eau à moitié seulement.
- La colle à tapisser peut constituer un substitut peu coûteux aux autres colles. Elle est également vendue sous forme de petits pots très pratiques dans les magasins de bricolage.
- Ne jetez pas les restes du papier qui a servi au bricolage, mais rassemblez-les dans une « boîte à chutes ». Avec de la

colle à tapisser, l'enfant pourra en effet fixer les petits morceaux bariolés sur du papier, créant ainsi une superbe « mosaïque ».

- Donnez à votre enfant des chutes de papier peint aux jolis dessins ou du papier cadeau usagé. Il pourra découper ou déchirer des motifs intéressants, puis les coller.
- Conservez certains objets (par exemple des bouchons, des bâtonnets à esquimau, des rouleaux de papier, des emballages de toutes sortes, des bouts de tissu, du papier cadeau, des brins de laine, etc.).
- Pour que le bricolage ne doive pas toujours être planifié longtemps à l'avance, il est judicieux de se constituer une réserve des matériaux les plus courants.
- Matériel de bricolage précieux : ciseaux à bricolage, colle, pot à confiture (comme récipient pour l'eau), agrafeuse, aiguille et coussinet à picoter, gros crayons de couleur, pinceau.

Matériaux de bricolage

Vous découvrirez dans ce livre de multiples bricolages réalisés avec des objets trouvés dans la nature et des « déchets ». Divers arguments plaident en faveur de ces matériaux de bricolage assez particuliers.

- Dans le bricolage, tout ne se déroule pas toujours comme prévu. En cas d'échec, vous réagirez certainement de manière plus sereine en sachant que le matériel utilisé était initialement destiné à être jeté.
- Vous serez surpris de voir combien il est possible de réaliser de jolies choses avec des déchets ménagers.
- La plupart des enfants adorent collectionner des objets et souhaiteraient les conserver sous une forme quelconque. Les pièces qu'ils réunissent sont souvent aussi précieuses à leurs yeux que le matériel de bricolage acheté. Il est

généralement très important pour eux de voir servir leurs trésors.

- Si un enfant collectionne de préférence des matériaux trouvés dans la nature (par exemple des glands, des pommes de pin ou des feuilles d'arbre) vous aurez là maintes occasions de le familiariser avec celle-ci. Il posera des ques-

Vous trouverez aux pages suivantes une multitude de conseils sur la façon d'utiliser ces matériaux. Mais votre enfant ou vous-même aurez certainement vos propres idées.

tions sur les objets récoltés et vous pourrez lui montrer que les feuilles ont des formes différentes, lui expliquer pourquoi certaines pommes de pin sont rongées par des souris ou des écureuils ou lui raconter ce qui se passe sous l'écorce d'un arbre...

Quant aux déchets ménagers (rouleaux de papier hygiénique, bouchons, bâtonnets à esquimau), ils présentent un grand avantage : ils vous évitent d'acheter un matériel de bricolage spécifique et parfois coûteux, puisqu'ils sont disponibles dans chaque maison. Il vous suffit de constituer une « boîte à trésors » qui contiendra bâtonnets à esquimau, petites brochettes en bois, sacs en papier, bouchons, capsules, rouleaux de papier hygiénique et de papier ménage, chutes de tissu, brins de laine, déchets de papier peint, papier cadeau, serviettes, branches, mousse, feuilles, châtaignes, glands, épis de maïs, pommes de pin, morceaux d'écorce d'arbre et plumes.

Jeux de couleur

Si vous n'avez pas encore tenté l'expérience, donnez des peintures ou crayons à votre enfant. S'il est encore petit, il commencera par griffonner en faisant des mouvements amples avec le bras. Dans ce cas, il est important qu'il dispose d'une grande surface, par exemple un vieux rouleau de papier peint, pour exercer ses talents. En se livrant régulièrement à cette activité, il développera sa motricité et sera bientôt capable de commenter son œuvre (« C'est un arbre »).

■ *Critères importants dans le choix des peintures et crayons de couleur*

Crayons de couleur – Des crayons de couleur de gros diamètre sont vendus dans le commerce à l'intention des jeunes enfants. Ceux-ci peuvent les tenir fermement dans leurs menottes et ils sont en outre relativement solides. La grosse mine se révèle précieuse pour les dessins exécutés sur une grande surface.

Crayons à la cire – Les crayons à la cire se présentant sous forme de poire ou de bâtonnet sont particulièrement adaptés aux tout-petits. Ils sont faciles à manipuler et assez solides. Plus tard, vous pourrez opter pour des formes de crayons classiques. Certains de ces crayons sont entourés de papier, tandis que d'autres se trouvent dans des gaines en plastique, mais ces derniers sont plus difficiles à manier par les jeunes artistes. Les bons crayons renferment beaucoup de cire d'abeille, des pigments résistants à la lumière, de bonnes propriétés couvrantes, et ils peuvent être utilisés aussi bien sur du bois que sur du papier à dessin ou du papier transparent. Ces couleurs se prêtent également à la technique du repassage. Assurez-vous qu'ils ne sont pas toxiques.

Peinture au doigt – Il est capital que ces gouaches ne soient pas toxiques, car les jeunes enfants mettent souvent leurs doigts tachés de couleur dans la bouche. Soyez également attentifs aux valeurs de l'Euronorme relative à la compatibilité avec l'environnement. Il existe en effet des peintures dont les composants sont utilisés dans le secteur alimentaire ou dans le domaine des cosmétiques. Les taches ou traces de couleur doivent pouvoir être effacées facilement.

Peintures à l'eau – Il n'est pas nécessaire d'acheter immédiatement une boîte de peintures. Au début, des pastilles de couleur rouge, verte, jaune, bleue, noire et

Si vous souhaitez avoir une vue d'ensemble des peintures et crayons de couleur existants et obtenir des informations précises, rendez-vous donc dans un magasin spécialisé où vous recevrez des conseils éclairés. La notice jointe au produit vous fournira également des renseignements complémentaires. Dans l'intérêt de votre enfant, vous devez impérativement vous assurer du caractère non toxique de tous les crayons et peintures ainsi que de leur compatibilité avec l'environnement !

Mille autres possibilités

Apprenez progressivement à votre enfant d'autres techniques qui vont au-delà de la simple reproduction de motifs. Tous seront impatients de voir le résultat des expériences que vous réaliserez.

Peintures à la colle à tapisser – Étendez au pinceau une mince couche de colle à tapisser sur la feuille à dessin, puis recouvrez-la de peinture au doigt. Vous verrez apparaître de magnifiques traces en passant le doigt, un pinceau, un morceau de carton, un bouchon ou un peigne sur la couche de couleur.

Technique du froissement – Peignez une feuille à dessin ou réalisez une peinture à la colle à tapisser. Puis, chiffonnez précautionneusement la feuille encore humide avant de la défroisser encore plus doucement. Lorsque le travail est sec, vous pouvez également le repasser légèrement.

Technique de l'impression – Couvrez la feuille à dessin d'une couche de couleur épaisse. Avant que celle-ci ne soit sèche, posez dessus une feuille vierge, pressez, puis enlevez-la doucement.

Avant de passer à l'action et de laisser votre enfant s'essayer aux joies de la peinture, vous prendrez quelques précautions afin que ces « jeux de couleur » soient aussi un plaisir pour vous.

- Étendez un tissu de protection sur la table.
- Recouvrez la table d'une couche épaisse de papier journal si votre enfant utilise des peintures à l'eau.
- Préparez un vieux chiffon pour que votre enfant puisse s'essuyer les mains de temps en temps.
- Prévoyez une quantité de papier suffisante. Il serait trop dommage qu'une séance de peinture doive être inter-

Laissez votre enfant s'exprimer librement par le dessin. Pour ses premières expériences, les crayons de couleur épais ou les crayons à la cire sont les plus adéquats. Par la suite, vous pourrez passer à la peinture au doigt et à la gouache.

marron suffisent. Placez ces blocs de couleur sur des couvercles de pots à confiture ou achetez d'emblée la palette en plastique adéquate.

Feutres – Attendez que l'enfant soit déjà bien rodé à l'utilisation des crayons pour passer aux feutres. Assurez-vous que les produits ne sont pas toxiques. Comme pour les crayons de couleur, une pointe épaisse et solide est recommandée. Veillez à ce que les feutres aient des couleurs vives, sèchent facilement et ne laissent pas de traces indélébiles sur les textiles. Les couleurs de certains feutres sont obtenues à partir de colorants alimentaires.

En outre, demandez-vous déjà ce que vous pourrez faire de toutes les feuilles bariolées par les jeunes artistes. Les possibilités de réutilisation sont multiples.

rompue par manque de papier ! De plus, vous n'avez pas nécessairement besoin de papier à dessin de qualité supérieure. Essayez d'obtenir des vieux catalogues de papier peint, du papier listing…

◆ Pour garder propres la peinture au doigt et les peintures à l'eau, réalisez les mélanges sur une vieille assiette (comme sur une véritable palette) ou sur des couvercles des pot à confiture. L'enfant aura ainsi la possibilité de fondre à sa guise les couleurs se trouvant sur l'assiette, puisqu'il disposera de réserves intactes.

Où exposer les travaux de bricolage ?

Pour un enfant, il est très important que les objets bricolés trouvent une place ou une quelconque utilisation dans la maison. Il perdrait rapidement le goût du bricolage et de l'expérimentation si ses « œuvres » étaient reléguées dans un coin sombre. Peut-être pourriez-vous trouver dans la salle à manger un endroit spécialement destiné à accueillir le dernier bricolage de votre enfant. Il est vraisemblable que celui-ci souhaitera également en décorer sa chambre.

Les dessins ne doivent pas nécessairement être affichés au mur, ils peuvent aussi décorer la porte de la chambre d'enfants ou de la cuisine. Peut-être votre petit aimera-t-il aussi faire plaisir à d'autres adultes (voisins, grands-parents, parrain, marraine) ou à ses amis en leur offrant ses bricolages.

Voici quelques-unes des multiples possibilités de réutilisation des feuilles de papier peintes. Nous ne doutons pas que vous trouverez vous-même d'autres variantes !

◆ La feuille des patrons en annexe renferme des modèles pour la confection de papillons, d'oiseaux, de fleurs et d'étoiles de Noël ou autres. Reproduisez le modèle choisi sur une feuille peinte de la couleur adéquate et découpez-la. Votre enfant ou vous-même pouvez disposer harmonieusement les différents motifs et les coller sur du carton de couleur. Cette œuvre ne trouvera sans doute pas sa place dans une galerie d'art, mais sûrement dans votre maison. Par ailleurs, ces motifs se prêtent merveilleusement bien à la réalisation de cartes de vœux ou de cartons de table.

◆ Pour obtenir une œuvre du plus bel effet, vous pouvez confectionner un cadre approprié en carton de couleur.

1. Tracez les contours de l'objet à encadrer sur du carton de couleur.

2. Faites une encoche aux quatre coins du tracé, puis introduisez les coins de la peinture dans les ouvertures et ajoutez éventuellement un point de colle.

♦ Les feuilles peintes peuvent également constituer un joli papier d'emballage pour des petits cadeaux. Sur des présents plus grands, entourés de papier de soie ou de papier d'emballage, l'enfant peut coller des motifs ou des lettres découpés dans les feuilles coloriées.

Décalquer des patrons

Vous trouverez à la fin de ce livre une feuille de patrons comportant des modèles pour les travaux de bricolage présentés. Vous pourrez ainsi décalquer et reproduire le motif souhaité sur du papier ou du carton de couleur.

1. Placez un morceau de papier parcheminé ou du papier-calque sur le patron. Posez quelques objets lourds sur les bords pour que le papier reste bien en place. Vous pouvez également, mais ce n'est pas toujours conseillé, attacher les feuilles avec des trombones. Décalquez maintenant le modèle avec un crayon gris HB ou plus gras.

2. Avant d'ôter le papier parcheminé, assurez-vous que vous n'avez oublié aucun détail.

3. Retournez ensuite le papier parcheminé, posez-le sur le papier de couleur et reproduisez les contours avec un crayon pointu. Lorsque vous avez terminé, enlevez le papier parcheminé. Repassez éventuellement sur les lignes imprimées avec un crayon. Découpez maintenant le motif qui apparaît à l'envers sur le papier.

Vous pouvez également utiliser du papier carbone à la place du papier parcheminé.

1. Posez tout d'abord le papier de couleur sur la surface de travail. Placez par-dessus le papier carbone avec la face d'impression orientée vers le bas. Disposez maintenant la feuille des patrons sur le papier carbone.

2. Posez des objets lourds sur les bords pour que le papier reste en place ou attachez les feuilles avec des trombones.

3. Repassez avec un crayon pointu sur les contours du patron. Vérifiez une nouvelle fois que vous n'avez oublié aucune ligne, puis séparez les feuilles. Vous pouvez maintenant découper le motif obtenu sur le papier de couleur.

Les patrons de maman

Si votre enfant désire dessiner les motifs lui-même, vous avez tout intérêt à réaliser des patrons. Décalquez à cet effet le modèle choisi sur du carton fin et découpez-le. Prévoyez éventuellement une chemise qui renfermerait tous les patrons. Cela vous permettra de les avoir toujours sous la main.

Rien n'est simple quand on débute. Mais si les enfants sont initiés en douceur au bricolage, ils y prendront rapidement du plaisir.

Laissez suffisamment de temps à l'enfant pour examiner les nouveaux matériaux mis à sa disposition, les découvrir et tester leurs propriétés. Après cette phase de prise de contact, entamez progressivement les premiers travaux de bricolage avec votre enfant. Ne perdez ni patience ni courage s'il ne franchit pas aussitôt avec succès toutes les étapes. En effet, certains petits mettent plus longtemps que d'autres à apprendre la technique de l'impression ou du collage. Au début, le découpage de motifs n'est pas non plus chose aisée, mais l'enfant finira toujours par y arriver.

Les bricolages que nous vous proposons peuvent être réalisés à peu de frais et ne nécessitent pratiquement aucune planification (pour autant que la « boîte à trésors » soit suffisamment riche).

Quoi qu'il en soit, n'oubliez pas qu'un jeune enfant ne peut se concentrer très longtemps sur une activité et qu'il a besoin de temps à autre de votre aide et de vos encouragements.

INSTRUMENTS DE MUSIQUE

Vous pouvez réaliser vous-même des crécelles aux sons les plus divers avec des boîtes à thé ou à crème, mais aussi avec des capsules et des bouteilles de shampooing. Peut-être cela donnera-t-il envie à votre enfant de créer avec ses amis un petit orchestre.

CRÉCELLES DE CAPSULES

1. Pratiquez un trou au centre des capsules à l'aide d'un marteau et d'un clou (placez une planche en dessous).

2. Percez un trou au sommet et au centre de la baguette. Faites passer le fil par le trou supérieur sur une longueur d'environ 3 cm, puis repliez-le et torsadez-le solidement.

3. L'enfant peut maintenant enfiler alternativement des capsules, perles, clochettes, etc.

4. Lorsque tous les petits objets sont enfilés, faites passer l'autre extrémité du fil par le trou inférieur de la baguette, puis repliez-le et torsadez-le également.

CRÉCELLES DE BOUTEILLES

1. L'enfant décore avec des crayons à la cire les bouteilles vides et soigneusement rincées (munies d'un goulot pour qu'elles tiennent bien dans la main).

2. Les bouteilles peuvent être remplies de pratiquement n'importe quels objets assez petits pour passer par le goulot : cailloux, petites pommes de pin, céréa-les de différente taille, clochettes (magasin de bricolage), mais aussi perles, bâtonnets en bois, noisettes, glands. Si vous craignez que l'enfant n'ouvre les bouteilles, il vous suffit de coller les bouchons.

La musique embellit la vie ! Chaque enfant connaît une phase au cours de laquelle il aimerait faire de la musique. Tous les objets susceptibles de produire des sons sont donc les bienvenus. Presque toutes les cuisines renferment dans leurs armoires des « instruments à percussion et à cordes ». Ainsi, il est possible de produire une multitude de bruits différents avec un poêlon retourné et une cuiller en bois, avec deux couvercles de casserole, avec une grille de four et un fouet, une râpe à fromage et une cuiller en métal ou encore avec un peigne. Bien entendu, l'enfant ne doit pas nécessairement prendre les ustensiles d'usage courant. Si vous ne possédez pas à la maison d'objets adéquats, faites appel à vos connaissances ou aux grands-parents. Ils ont certainement accumulé chez eux au fil du temps divers trésors qui deviendront des instruments de musique extraordinaires.

Variante

Si vous le souhaitez, vous pouvez introduire le fil dans un bouchon en liège et le fixer avec de la colle. L'enfant enfilera alors alternativement quelques capsules, perles, etc. Il collera ensuite une perle à l'autre extrémité du fil.

FLEURS PRINTANIÈRES

Matériel

des assiettes blanches
en carton
du carton de couleur
des crayons à la cire
des ciseaux
de la colle
une agrafeuse
des décalcomanies
par ex. des coccinelles

Lorsque le soleil nous réchauffe de ses premiers rayons et que les premières fleurs éclosent dans le jardin, il est agréable de mettre notre intérieur au diapason. Alors, pourquoi ne pas confectionner pour la maison des fleurs printanières d'un genre très particulier.

1. L'enfant peint tout d'abord l'assiette en carton de diverses couleurs ou colle sur celle-ci des petites coccinelles.

2. Découpez dans le carton de couleur une tige munie de deux feuilles.

Si l'enfant le souhaite, il peut faire ressortir le centre de la fleur à l'aide de petites boules de papier crépon. Il suffit pour cela de découper du papier crépon en petits morceaux, de froisser ceux-ci et de les coller à l'endroit souhaité.

3. Collez maintenant avec votre enfant la tige sur la fleur. Pour qu'elle soit solidement fixée, ajoutez quelques agrafes.

Variante

Découpez l'assiette en carton de façon à lui donner la forme d'une fleur. La fleur peut aussi être découpée intégralement dans du carton de couleur. Plusieurs fleurs placées l'une à côté de l'autre sur la porte d'une chambre d'enfant constituent un bouquet très décoratif. Choisissez du carton de teinte claire pour que les couleurs de la fleur soient bien mises en valeur.

JACQUOT, LE PERROQUET

Placé devant la fenêtre ou suspendu sous forme de mobile dans la pièce, ce perroquet amusant et bariolé attirera comme par magie le regard des enfants. Surtout si la couronne a été décorée de bandelettes de papier crépon que vous laisserez pendre.

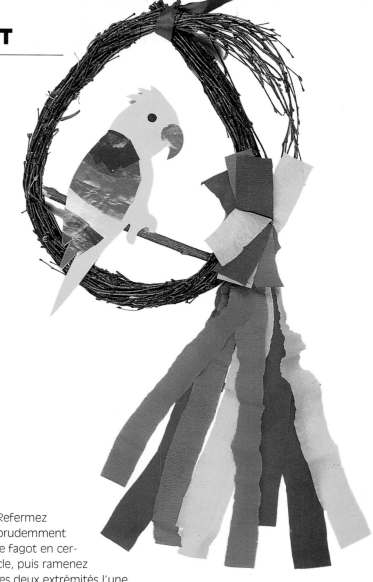

1. Regroupez les extrémités des branches de bouleau et maintenez-les ensemble avec du fil. Ne coupez pas le fil.

2. Comprimez légèrement le fagot et entourez-le entièrement de fil en laissant quelques centimètres entre chaque spirale.

3. Refermez prudemment le fagot en cercle, puis ramenez les deux extrémités l'une sur l'autre et nouez-les solidement.

4. Reproduisez sur le carton de couleur le modèle de perroquet de la feuille des patrons et découpez le motif.

5. L'enfant peut maintenant peindre ou colorier le perroquet, ou encore le décorer de petits bouts de papier de couleur collés.

6. Fixez un fil à la tête du perroquet et placez l'oiseau dans la couronne.

Matériel

du carton de couleur claire
un fagot de branches de bouleau
des ciseaux
des pinces coupantes
des crayons et/ou du papier de couleur
du fil de jardinage vert ou marron

À LA CHASSE...

**du carton de couleur
des ciseaux
de la colle
des crayons de couleur
des crayons à la cire ou
de la peinture au doigt**

... AUX PAPILLONS DE TOUTES LES COULEURS

Ce bricolage vous donnera l'occasion de vous plonger avec votre enfant dans un livre de sciences naturelles pour voir les multiples façons dont sont représentés les papillons. Peut-être aura-t-il alors envie de confectionner non pas un papillon quelconque, mais un vulcain, un paon-de-jour ou une grande tortue. Bien entendu, vous pouvez vous contenter de faire ressortir les caractéristiques les plus marquantes des coléoptères choisis.

Sur notre prairie à papillons, vous pouvez voir une piéride, un citron et un paon-de-jour.

1. Reproduisez le modèle de papillon de la taille souhaitée sur le carton de couleur et découpez-le.

2. L'enfant peint maintenant le papillon comme il le souhaite, avec de la peinture au doigt, des crayons à la cire ou des crayons de couleur.

Si votre enfant a envie de créer plusieurs papillons, vous pouvez coller ceux-ci sur du carton de couleur verte, que vous agrémenterez de fleurs d'été multicolores. L'enfant peut également découper des fleurs dans des feuilles à dessin peintes de toutes les couleurs. Vous obtiendrez ainsi une jolie prairie de fleurs estivales.

Variante

Votre enfant aime-t-il les travaux de collage ? Si c'est le cas, donnez-lui des petits bouts de papier multicolores, du papier de couleur ou du papier cadeau à coller sur le papillon.

... AUX COCCINELLES

Les feuilles de trèfle font de superbes petits cartons à attacher aux cadeaux ou à poser sur la table devant chaque invité. Comme il s'agit d'obtenir une carte à double volet, vous devez reproduire le modèle sur une feuille pliée en deux.

Si vous avez envie de réaliser plusieurs feuilles de trèfle à partir de cartons de différentes couleurs, vous pouvez décorer une branche à l'aide de celles-ci.

Pour initier l'enfant à la technique de l'impression décrite, donnez-lui une feuille de papier verte. Il aura ainsi la possibilité d'imprimer tout d'abord sans contrainte des « coccinelles sur une prairie ».

1. Reproduisez le modèle de trèfle sur du carton de couleur et découpez-le.

2. Remplissez un bol ou un couvercle de pot à confiture de peinture au doigt pour que l'enfant puisse tremper le bouchon sans difficulté dans la couleur rouge. Il imprimera ensuite les corps des coccinelles sur la feuille de trèfle.

3. Ajoutez les six pattes au feutre.

Matériel

du carton de couleur verte
un bouchon en liège
de la peinture au doigt rouge
un feutre noir
des ciseaux
un crayon

Laissez l'imagination de votre enfant s'exprimer librement. Rien ne l'empêche d'imprimer des pucerons noirs ou verts, des pucerons lanigères blancs ou des doryphores d'un marron jaunâtre.

UN PETIT CANARD AU BORD DE L'EAU

Avec ce canard, jouer dans la baignoire ou dans une piscine de jardin sera encore plus amusant. Il ne vous faudra pas beaucoup de temps pour confectionner avec votre enfant ce merveilleux jeu pour le bain.

1. Reproduisez le modèle de canard sur le carton de couleur et découpez-le.

2. L'enfant le peint maintenant de diverses couleurs en fonction de son habileté et de sa fantaisie.

3. Si vous le souhaitez, vous pouvez rendre le canard « étanche » grâce à une feuille de papier autocollant transparent.

4. Pratiquez une entaille sur la ligne continue à la base du canard et rabattez le papier à hauteur de la ligne pointillée.

5. Enduisez de colle les deux languettes ainsi formées. Fixez ensuite le canard sur la barquette de polystyrène. Et voilà, c'est prêt !

Variante

Le canard peut bien entendu être conçu autrement. Que penseriez-vous de lui donner des ailes couvertes de bouts de papier multicolores ou confectionnées avec des plumes synthétiques ?

FREDDY, LE POISSON À POIS

Pour la technique des mouchetures, pré-voyez une « phase d'expérimentation » assez longue. Au début, le mieux est de laisser votre enfant moucheter tout simplement une feuille de papier (sans lui imposer de motif). La moucheture n'est pas chose aisée. Il arrivera inévitablement que votre enfant laisse « traîner » son doigt par mégarde et se mette à peindre. N'oubliez pas qu'il doit se concentrer énormément pour donner une courte pression du doigt et retirer celui-ci aussitôt après. S'il commence à peindre par moments, il ne faut pas l'en empêcher. Contentez-vous de lui rappeler en passant qu'il avait prévu de faire des mouchetures.

1. Reproduisez le modèle de poisson sur du carton de couleur.

2. Présentez la peinture au doigt dans un bol ou dans le couvercle d'un pot à confiture.

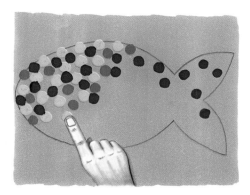

Matériel

du carton de couleur claire
de la peinture au doigt
un crayon

3. L'enfant plonge brièvement l'index dans la peinture au doigt et mouchette les « écailles » l'une à côté de l'autre jusqu'à ce que le corps du poisson soit entièrement couvert.

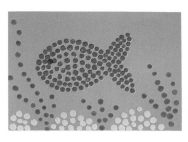

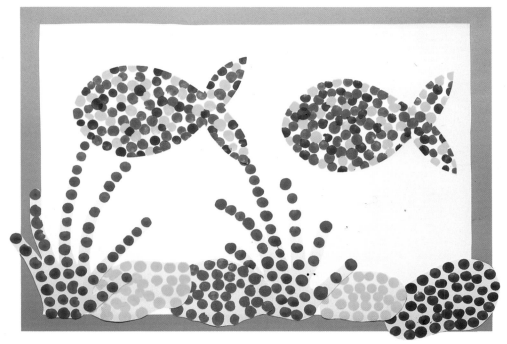

Les enfants déjà bien rodés à la technique des mouchetures peuvent créer un paysage sous-marin. Ils réaliseront tout d'abord sur du papier les poissons ainsi que les rochers et plantes aquatiques qui constituent le fond marin. Ils découperont ensuite les motifs et les colleront sur du papier à dessin transparent. Un cadre en carton de couleur apportera éventuellement la touche finale.

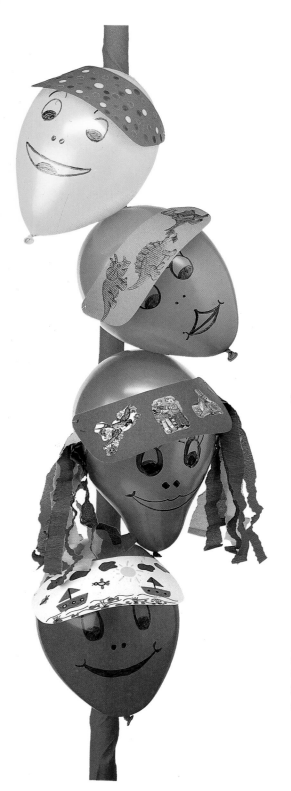

VISIÈRES

Les visières sont particulièrement appréciées des enfants. En outre, elles se révèlent bien utiles lorsque le soleil darde sur nous ses rayons.

1. Reproduisez le modèle sur du carton de couleur et découpez-le.

2. L'enfant peut alors donner à l'objet les couleurs qu'il souhaite par le biais de différentes techniques :

   ... peinture,
   ... collage de décalcomanies,
   ... impression avec le doigt ou avec divers objets.

Matériel

du carton de couleur
de l'élastique à
chapeau
des ciseaux,
un crayon
des décalcomanies
des crayons de
couleur

3. Enfin, fixez l'élastique à chapeau à chaque extrémité de la visière, après en avoir adapté la longueur à la tête de l'enfant.

Une variante, très appréciée des filles en particulier : agrafer des bandes de papier crépon multicolore sur chacun des côtés. Pourquoi pas aussi découper et coller sur la visière des petits motifs de papier cadeau.

Les visières sont des cadeaux qui font plaisir aux petits invités des fêtes d'enfants. Préparez quelques crayons de couleur ou crayons à la cire pour que chacun puisse décorer son présent.

BONJOUR L'AUTOMNE

En automne, on préfère rester à l'intérieur et on souhaiterait décorer les pièces à l'image de la saison. L'arbre d'automne et la pomme constituent de très jolis motifs pour animer les fenêtres de la chambre d'enfants.

Votre enfant prendra certainement beaucoup de plaisir à confectionner lui-même une décoration pour la fenêtre. Pour le modèle que nous vous proposons, il est préférable que vous vous chargiez du découpage, mais si l'enfant est suffisamment habile, il pourra lui-même découper ou picoter le motif choisi. En tout cas, c'est à lui que reviendra l'honneur de réaliser la partie la plus importante du travail, à savoir le collage des bouts de papier multicolores. Il sera sûrement surpris de voir la multitude de nuances obtenues grâce aux superpositions.

1. Reproduisez le modèle de la pomme en deux exemplaires sur le carton de couleur et découpez-le. Enlevez soigneusement la partie intérieure.

2. Placez la pomme évidée sur le papier à dessin transparent et dessinez au crayon le contour intérieur. Laissez tout autour un bord de 1 à 2 cm pour le collage, puis découpez le papier.

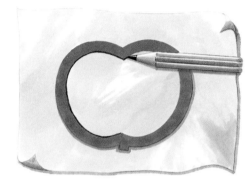

Matériel

du carton de couleur verte
du papier à dessin transparent
du papier transparent de couleur
des ciseaux
de la colle
un crayon

3. L'enfant déchire le papier transparent de couleur en petits morceaux qu'il colle sur le papier blanc en n'hésitant pas à les superposer partiellement.

Si vous le souhaitez, vous pouvez bricoler d'autres fruits d'automne, comme des prunes, des poires, etc. Vous trouverez le patron de ce bel arbre sur la feuille en annexe.

4. Lorsque le « patchwork » est sec, collez-le entre les deux pommes en carton.

Si votre bricolage gondole, vous pouvez le repasser légèrement dès que la colle est sèche.

MAROTTES

Les enfants adorent les jeux de rôle. Outre les marionnettes qu'ils peuvent mouvoir avec la main ou avec les doigts, les marottes conviennent également très bien pour les petits. Elles sont extrêmement faciles à réaliser et permettent de multiples variantes. Lors du choix du motif, tenez compte des centres d'intérêt de l'enfant à ce moment.

1. Choisissez le motif, puis reproduisez le modèle sur du carton de couleur et découpez-le.

2. Dessinez le visage et éventuellement d'autres caractéristiques du personnage. Il ne vous reste plus qu'à fixer le bâtonnet à l'arrière.

3. L'enfant peut maintenant «vêtir» sa figurine ou coller sur celle-ci des cheveux réalisés à partir de bouts de laine ou de rubans.

Il serait amusant de construire un petit décor adapté à une chanson, une comptine ou une histoire (voir photos).

Voici comment faire vivre «Le vilain petit canard». Confectionnez des marottes représentant différents canards. Pour l'étang, prenez du carton bleu que vous plierez en deux, puis découpez une bande de 7 x 22 cm, le pli devant se trouver sur la largeur de celle-ci. Collez un bâtonnet dans la pliure et fixez les deux épaisseurs de carton du côté opposé avec quelques gouttes de colle. Découpez des ondulations sur le bord supérieur. L'ensemble sera encore plus joli si vous collez des touffes d'herbe et peut-être même un nid au bord de l'étang. Vous n'avez plus qu'à glisser les canards entre les deux épaisseurs de carton.

Voici l'envers du décor. Collez deux arbres en papier de couleur et en papier crépon sur la face intérieure du carton. Tapissez le fond et les côtés de papier crépon et décorez-les éventuellement d'objets trouvés dans la nature (mousse, feuilles, morceaux d'écorce, etc.). Tout est prêt pour la grande entrée des petits héros.

Si vous le souhaitez, vous pouvez également construire un décor réversible, comme celui-ci, qui puisse convenir à plusieurs chansons, histoires, jeux de doigts, etc.

Procurez-vous une boîte en carton étroite, mais haute. Enlevez entièrement la face antérieure et ne gardez qu'une bande étroite sur les côtés pour assurer la stabilité du décor. Peignez le carton avec votre enfant. Le spectacle peut maintenant commencer !

NOËL EST PROCHE

Matériel
**un pot à confiture
du papier de soie de
couleur
des ciseaux
de la colle**

Matériel
**du carton de couleur
du papier crépon de
couleur
des crayons
des ciseaux
de la colle**

Matériel
**du carton de couleur
rouge
du papier doré
des ciseaux
de la colle**

LA LANTERNE MAGIQUE

Voici venir l'hiver et le temps béni de Noël où partout brûlent des chandelles.

À la veille de Noël, l'enfant pourra surprendre ses grands-parents ou ses amis en leur montrant ou en leur offrant cette lanterne magique.

1. En fonction de son habileté, l'enfant déchire ou découpe le papier de soie en petits morceaux.

2. Les petits bouts de papier sont alors collés l'un à côté de l'autre et partiellement superposés sur le pot à confiture.

Vous obtiendrez de superbes nuances grâce à la superposition de couleurs différentes.

L'ÉTOILE LUMINEUSE

Votre enfant aura sûrement envie de disposer sur la table des bougies qui rendent la pièce plus intime et chaleureuse. C'est la décoration de bougies pour chauffe-plats qui conviendra le mieux aux menottes des petits. Soyez néanmoins très vigilant si les bougies sont allumées en présence des enfants.

1. Reproduisez le modèle d'étoile sur le carton de couleur, puis découpez le motif.

2. L'enfant découpe les fines bandes de papier crépon en petits morceaux qu'il froisse pour en former des boules. Collez toutes ces boules sur l'étoile en carton jusqu'à ce qu'elle soit entièrement recouverte, sauf sur sa partie centrale.

Celle-ci doit en effet recevoir la bougie. La colle ne doit donc pas être appliquée sur le cercle dessiné. Et si l'enfant a collé le papier sur toute la surface de l'étoile, il placera simplement la bougie au centre.

L'ÉTOILE DE NOËL

Vous pouvez également poser une bougie pour chauffe-plats sur cette étoile scintillante. Vous obtiendrez ainsi une décoration de Noël extrêmement originale dont votre enfant ne sera pas le seul à être fier !

1. Reproduisez le modèle d'étoile sur le carton de couleur et découpez-le.

2. L'enfant déchire ou découpe le papier doré en petits morceaux qu'il colle sur l'étoile.

3. Découpez soigneusement les morceaux de papier qui dépassent.

Au lieu d'utiliser une nouvelle feuille de papier doré, vous pouvez également vous servir de papier aluminium récupéré. Si votre enfant ou vous-même préférez suspendre l'étoile, appliquez un point de colle à l'arrière et fixez un fil à une des branches.

ÉMILE, L'OURS POLAIRE

Matériel

**du carton blanc
du papier rouge,
blanc et noir
de la ouate
du papier ménage
des cotons
démaquillants
des ciseaux
de la colle**

Le bricolage d'un ours polaire est une bonne occasion pour parler à l'enfant de l'habitat de cet animal ou pour lui raconter une histoire tirée d'un livre d'images.

1. Reproduisez le modèle sur le carton blanc et découpez-le.

2. L'enfant détache la ouate avec soin et la colle sur le motif.

3. Découpez le nez et l'œil dans le papier noir, l'oreille dans le papier blanc.

4. L'enfant colle maintenant ces différentes pièces sur la tête de l'ours.

5. Pour la bouche, découpez et collez une fine bande de papier rouge légèrement incurvée ou dessinez-la avec un feutre.

6. Si l'enfant le souhaite, il peut coller l'ours polaire sur du carton de couleur grise. Avant cela, réalisez des icebergs avec du papier ménage et des blocs de glace avec des cotons démaquillants.

Devinette

Pourquoi l'ours polaire ne mange-t-il pas de pingouins ? Parce qu'il n'y a pas de pingouins au pôle Nord. Ceux-ci ne vivent qu'au pôle Sud !

JULES, LE BONHOMME DE NEIGE

La neige exerce une véritable fascination sur les enfants. Malheureusement, durant les hivers doux et peu enneigés que nous avons connus ces dernières années, la plupart d'entre eux n'ont sans doute pas eu l'occasion de faire un bonhomme de neige. Voilà donc une bonne occasion de réaliser cette décoration hivernale des pièces de la maison.

1. Reproduisez au crayon les contours du bonhomme de neige sur du carton de couleur.

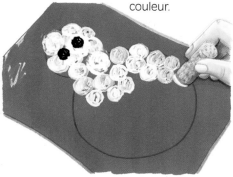

2. Mettez un peu de peinture au doigt dans le couvercle d'un pot à confiture. L'enfant plonge le bouchon dans la couleur et imprime le visage, le corps et les bras du bonhomme de neige.

3. Il imprime ensuite le chapeau avec de la couleur verte.

4. Lorsque la couleur est sèche, l'enfant ajoute les yeux, le nez, la bouche et les boutons.

Divers matériaux permettent de transformer le bonhomme de neige. L'enfant peut par exemple découper le chapeau dans du carton de couleur ou coller des boulettes de papier crépon pour les yeux. Il peut également découper le nez dans du papier

Matériel

du carton de couleur bleue
un crayon
un bouchon en liège
de la peinture au doigt

de couleur et confectionner la bouche avec un gros fil de laine rouge. Des boutons de couleur pour le ventre et une brochette en bois rehaussée de bandelettes de papier crépon pour le balai sont du plus bel effet.

Lors de la réalisation des objets du chapitre précédent, votre enfant a déjà découvert différents matériaux et s'est familiarisé avec l'utilisation de quelques outils.

Nous vous proposons à présent d'autres bricolages dans le cadre desquels l'enfant assumera une part plus importante du travail.

Dans les consignes, vous lirez souvent : « Découpez avec votre enfant… ». Cela signifie que vous devrez laisser l'enfant découper lui-même s'il le souhaite, mais que si son intérêt se relâche, vous vous en chargerez vous-même.

Faites toujours comprendre au jeune bricoleur qu'il peut compter sur votre aide.

Si l'enfant utilise sans problème les ciseaux, la colle et le matériel de bricolage, il accomplira spontanément un nombre croissant de tâches.

REGARDE CE QUE
J'ARRIVE DÉJÀ À FAIRE

LA GRANDE MASCARADE

Les enfants aiment se déguiser. Et pour cela, nul besoin de costumes coûteux : de vieux vêtements, rideaux ou draps et un brin d'imagination feront parfaitement l'affaire. Avec du carton de couleur, vous pouvez confectionner de splendides masques en un tour de main avec votre jeune acteur.

Matériel

**du carton de couleur
de l'élastique
de la colle
des ciseaux
un crayon
des accessoires**

UN LOUP

Le loup est un masque très facile à réaliser qui peut être modifié à souhait. L'enfant peut y coller divers matériaux tels du papier irisé, du papier gommé de couleur, du papier cadeau ou du papier de couleur. Il peut parfaire la décoration à l'aide de serpentins, de plumes, de papier crépon, de petits adhésifs ou de paillettes.

Si vous le souhaitez, vous pouvez également coller de chaque côté des bandelettes de papier crépon ou de papier de soie de différentes couleurs.

1. Reproduisez le modèle sur le carton de couleur et découpez-le.

2. Percez un trou de chaque côté pour l'élastique, puis faites passer celui-ci dans les trous avant de le nouer.

3. L'enfant peint maintenant le masque selon sa fantaisie ou y colle de petits morceaux de papier ou des confettis.

Variante

Pour une princesse, le masque sera peint de couleurs claires, parsemé de paillettes et décoré de papier doré. Batman préférera peut-être un masque noir avec quelques languettes de papier sur le bord supérieur. Pour un clown, l'enfant réalisera un masque très bariolé et l'indispensable nœud papillon sera confectionné dans du carton de couleur.

LE NŒUD PAPILLON DE CLOWN

Un clown en chemise bariolée mais sans nœud papillon n'est pas un vrai clown. Ce nœud doit être bigarré et très grand.

1. Reproduisez tout d'abord le modèle sur le carton de couleur et découpez-le.

2. Pendant ce temps, l'enfant peut déchirer en petits morceaux le papier qu'il collera ensuite sur le nœud. Les confettis obtenus avec une perforatrice conviennent également très bien.

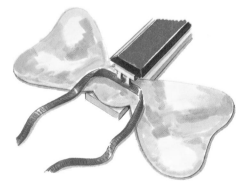

Matériel

**du carton de couleur
des chutes de papier
des ciseaux
de la colle
une agrafeuse
un lacet ou un ruban à
cheveux**

3. Avec une agrafeuse, fixez le ruban ou le lacet au dos du nœud papillon, à droite et à gauche du centre. Collez un confetti sur les agrafes.

Matériel

**du carton de couleur
rouge et noire
de l'élastique à
chapeau
des ciseaux
de la colle
un crayon**

FLIC-FLAC, LE PINGOUIN

Durant la confection des masques, il sera amusant de raconter des histoires mettant en scène les animaux en question.

1. Reproduisez le loup sur le carton de couleur noire et le modèle de nez sur le rouge, puis découpez-les.

2. Pliez tout d'abord le nez à la hauteur de la ligne médiane en pointillés, puis rabattez les languettes. Appliquez un peu de colle sur celles-ci et fixez le nez sur le masque. Attention : quelques gouttes de colle suffisent, sans quoi la colle jaillira lorsqu'on pressera le nez.

3. Percez des trous à hauteur des repères situés de chaque côté, puis fixez l'élastique à chapeau.

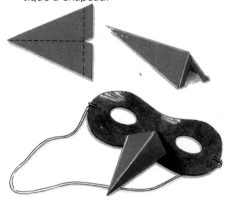

Matériel

**du carton de couleur
noire
de l'élastique à
chapeau
des ciseaux
de la colle
un crayon**

LE CHAT MISTIGRI

1. Dans ce cas encore, reproduisez le modèle sur du carton de couleur et découpez-le.

2. Découpez les yeux, puis le nez, mais pour celui-ci, arrêtez-vous à la hauteur de la ligne pointillée et redressez-le vers le haut.

3. Collez du papier blanc sur les triangles dessinés dans les oreilles, puis…

4. … confectionnez la moustache. Pliez en deux la bande de papier (± 10 cm de long sur 3 cm de large) et découpez-la en lamelles en vous arrêtant un peu avant la partie centrale. Dépliez-la ensuite de nouveau et collez-la sous le nez.

5. Il ne manque plus que l'élastique à fixer sur les côtés et le carnaval des animaux peut commencer !

MASQUE-SAC EN PAPIER

Un simple sac à provisions en papier peut aussi se transformer rapidement en un masque rigolo et bon marché.

1. Découpez dans le sac les ouvertures préalablement marquées pour les yeux, le nez et la bouche.

2. Le reste de la confection est laissé au libre choix de l'enfant : il peut dessiner dessus avec des crayons ou y coller du papier (peut-être même de la ouate).

3. Pour les cheveux, agrafez ou collez sur les côtés et le fond des bandelettes multicolores en papier crépon (environ 2 cm de large).

Matériel

**un sac en papier
du papier crépon
des ciseaux
de la colle
des crayons à la cire**

L'enfant enfonce la tête dans le sac terminé. Voilà un beau déguisement qui ne servira pas seulement pour le carnaval !

POLLY, LE PETIT CHEVAL

Matériel

**du carton de couleur
marron
des brins de laine
des ciseaux
de la colle
un crayon
un feutre noir**

Vous trouverez ici un travail de collage très simple, mais du plus bel effet. L'enfant devrait essayer de coller lui-même la laine qui représente la crinière et la queue du cheval.

1. Reproduisez le cheval de la taille souhaitée sur du papier ou du carton de couleur et découpez-le.

2. Dessinez l'œil et le naseau visibles au feutre.

3. Le jeune artiste peut maintenant coller la crinière et la queue. Veillez à ce qu'il n'utilise pas trop de colle, sans quoi la crinière sera moins esthétique.

Si vous le souhaitez, vous pouvez également coller un bâtonnet à l'arrière du cheval (au centre). Vous obtiendrez ainsi une marotte que vous pourrez agiter pour accompagner une histoire, une chanson ou une comptine.

Variante

Si votre enfant adore le collage, laissez-le bricoler à son aise plusieurs chevaux. Ceux-ci pourront être collés ensuite sur un carton vert. Il peut également peindre des fleurs sur la prairie, les imprimer ou les découper dans du papier de couleur et les coller. Quel beau tableau pour une chambre d'enfants !

TAUPI, LA TAUPE

Les taupes sont des petits animaux pratiquement aveugles qui vivent sous la terre. Leurs pattes antérieures sont puissantes et leur servent à creuser des galeries, tandis que leurs pattes postérieures sont moins développées. Bien qu'elles se montrent rarement, de nombreux enfants sont fascinés par ces petites bêtes à la peau duvetée.

Le seul signe visible de la présence d'une taupe dans le jardin ou dans une prairie est la taupinière, un petit monticule de terre. Si votre enfant est intéressé par ce sujet (à la suite d'une découverte dans la nature ou d'une histoire tirée d'un livre d'images), pourquoi ne pas réaliser ces sujets qui prendront place sur un grand panneau mural.

1. Dessinez les contours d'une taupinière sur un carton de couleur verte. Prévoyez un espace suffisant au sommet pour la taupe qui sera collée peu après.

2. Découpez des bandelettes de papier crépon de 2 cm de large. Votre enfant les déchirera ensuite en petits morceaux et les collera sur la taupinière.

3. Reproduisez le modèle de la taupe sur du papier de couleur noire et faites-le découper par votre enfant.

4. Utilisez du papier rose pour la bouche et les pattes. Dessinez les yeux.

Matériel

du papier de couleur noire et rose
du carton de couleur verte
du papier crépon marron
des ciseaux
de la colle
un crayon

Bien entendu, l'enfant peut coller la taupe au sommet de la taupinière.

PRAIRIE PASCALE EN MINIATURE

Les enfants examinent de près tout matériau nouveau. Dans ce cas-ci, vous pouvez le familiariser avec le terreau. Si vous en avez la possibilité, confiez à votre enfant le terreau et le pot qu'il emportera au jardin. Si vous ne disposez que d'une terrasse ou d'un balcon, étendez sur le sol un grand plastique ou de nombreux vieux journaux.

Matériel
**un pot de margarine
vide
du terreau
une cuiller
un arrosoir
des semences pour
gazon ou prairie
du papier crépon
du carton de couleur
une brochette en bois
des ciseaux
de la colle
des feutres**

L'enfant place la terre dans le pot, à la main ou avec la cuiller. Au toucher, le terreau ne produit pas le même effet que le sable : il est plus léger, plus souple. Ne vous étonnez pas si votre enfant vide le pot aussitôt après l'avoir rempli. Les enfants aiment rééditer les nouvelles expériences.

Prévoyez également un arrosoir, mais n'y versez que peu d'eau.

1. Lorsque le pot est définitivement rempli, introduisez ensemble les semences dans la terre.

2. Entourez le pot de papier crépon pour qu'il soit plus joli.

3. Reproduisez le modèle de lapin et/ou de poussin sur le carton de couleur et confiez à votre enfant le picotage ou le découpage des motifs.

4. Dessinez les grands traits des visages avec un feutre. Collez la brochette à l'arrière pour assurer une plus grande stabilité aux objets.

N'enfoncez pas trop profondément les motifs, car ils se chargeraient d'humidité.

5. Enfoncez les animaux dans la (future) prairie à l'aide du bâtonnet. Il n'y a plus qu'à attendre !

Il s'agit à présent d'arroser modérément, mais régulièrement. Le jardinier en herbe voudra bien sûr se charger de cette tâche. Veillez toutefois à ce que la prairie ne se transforme pas en un marécage, car les enfants adorent arroser. Par mesure de prudence, ne versez dans l'arrosoir que la quantité exacte dont votre petit a besoin.

Pour votre prairie pascale, vous pouvez aussi choisir du cresson à la place de l'herbe. Cependant, celui-ci doit être récolté après 7 à 10 jours, tandis que les graminées durent plus longtemps. Lorsque l'herbe est trop haute, vous pouvez la couper aussi souvent que vous le souhaitez et elle gardera son bel aspect.

Votre enfant a-t-il déjà peint ou décoré des coquilles d'œufs gobés ? Si c'est le cas, posez ces œufs auprès du poussin. Pour les jeunes enfants, les œufs réalisés dans des boules de ouate sont particulièrement bien adaptés à la peinture. Les tout-petits peuvent également utiliser de la peinture au doigt pour les décorer. Les œufs en chocolat pourraient également convenir, mais ils disparaissent le plus souvent de façon totalement inexplicable…

Rien ne vous empêche évidemment de décorer cette prairie pascale avec d'autres accessoires. Par exemple : des fleurs dé-

coupées dans les dessins de votre enfant et collées sur un cure-dents ; ou une fleur réalisée en papier crépon et posée dans l'herbe. Peut-être pouvez-vous aussi confectionner une fleur à partir d'une jolie serviette bariolée. Si vous optez pour la rapidité, vous achèterez des fleurs en soie, papillons et petites nœuds pour décorer votre prairie. Vous trouverez ces objets chez un fleuriste ou dans un magasin d'articles de loisir.

Cette prairie pascale est un joli présent qui ravira grands-parents ou amis à la période de Pâques !

LE TEMPS DES CERISES

La technique employée pour ce bricolage ravit tous les enfants. Elle repose sur l'utilisation de papier hygiénique et de colle à tapisser. Donnez à votre enfant l'occasion de malaxer longuement la bouillie obtenue grâce au mélange de ces deux matériaux. Pour autant que vous ayez prévu une protection adéquate pour la surface de travail, le mobilier et les vêtements, vous prendrez vous aussi plaisir à cette activité. Peut-être pourriez-vous confectionner vous-même un arbre en recourant à cette méthode ?

1. Reproduisez les contours de l'arbre sur le carton et découpez-les.

2. Pendant ce temps, l'enfant déchire le papier hygiénique en petits morceaux.

3. Donnez à votre enfant un bol contenant de la colle à tapisser pour qu'il puisse tout d'abord « humidifier » légèrement ses doigts, puis le papier. Ne

prenez pas trop de colle, sinon le bricolage sera trop humide et séchera difficilement.

4. L'enfant mélange les deux matériaux avec les mains comme il l'entend. Puis, il applique cette masse par petites doses sur l'arbre en carton qui présen-

tera alors une surface inégale. Le résultat sera particulièrement réussi si la cime est couverte d'une couche plus épaisse que le tronc.

5. Lorsque le travail est entièrement sec (utilisez éventuellement un sèche-cheveux), peignez l'arbre à la peinture à l'eau.

6. Lorsque cette peinture a elle aussi séché, l'enfant colle des perles rouges qui représenteront les cerises.

Vous pouvez remplacer les perles par des fleurs blanches de cerisier ou

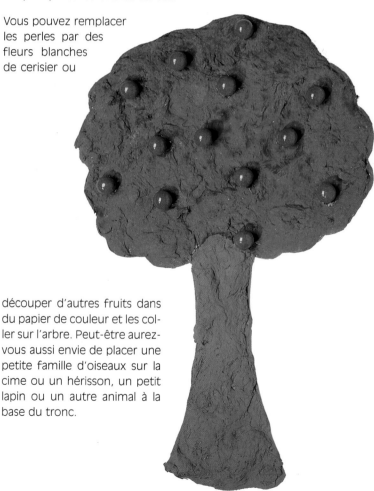

découper d'autres fruits dans du papier de couleur et les coller sur l'arbre. Peut-être aurez-vous aussi envie de placer une petite famille d'oiseaux sur la cime ou un hérisson, un petit lapin ou un autre animal à la base du tronc.

Matériel

du carton
du papier hygiénique
de la colle à tapisser
de la peinture à l'eau
des perles rouges
des ciseaux
un crayon

UN PARTERRE RIEN QU'Á EUX

Rares sont les enfants qui possèdent leur propre espace dans le jardin. Mais chacun peut bricoler son propre parterre pour le rebord de la fenêtre.

Si l'enfant en a envie, il peut également découper un oiseau ou un papillon dans du carton de couleur et le coller à côté des fleurs du parterre.

Pour que les fleurs embaument vraiment, il vous suffit de donner à votre enfant quelques gouttes de parfum ou d'huile aromatique.

1. L'enfant peint en marron (terre) la partie supérieure d'un carton à œufs (taille du parterre).

2. Il découpe ou déchire le papier de soie de diverses couleurs en petits carrés (± 2,5 x 2,5 cm).

3. Avant de coller les carrés sur le parterre, l'enfant presse le papier sur son doigt puis ramène les pointes vers le bas.

Appliquez un peu de colle à la base du papier (au centre) et placez la fleur dans le parterre.

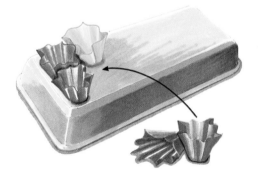

Matériel

la partie supérieure d'un carton à œufs du papier de soie de différentes couleurs des ciseaux de la colle

Les fleurs ont besoin de soleil ! Réalisez donc avec votre enfant un petit soleil en papier que vous fixerez sur une brochette et enfoncerez dans le parterre.

Du carton vert ou marron servira de fond pour cette prairie estivale haute en couleur.

UNE PRAIRIE ESTIVALE BARIOLÉE

Matériel

du papier parcheminé des crayons à la cire des fleurs pressées de la colle un fer à repasser

Les enfants aiment les fleurs et souhaiteraient pouvoir cueillir et emporter chacune d'entre elles lors de leurs promenades. Ils ont du mal à comprendre qu'elles se fanent et ils en sont tout attristés.

En pressant les fleurs, vous préserverez leurs splendides couleurs estivales. Il n'est pas absolument nécessaire de disposer d'une presse à fleurs, un catalogue très épais fera éventuellement l'affaire. Rangez soigneusement les fleurs fraîchement cueillies entre les pages du catalogue et laissez-les sécher pendant quelques jours.

Ne cueillez surtout pas de fleurs appartenant à des espèces protégées !

Les fleurs pressées permettent de confectionner très rapidement une merveilleuse prairie estivale.

1. L'enfant peint le papier parcheminé avec des crayons d'une haute teneur en cire. Veillez à ce que la couche soit bien épaisse. Plus elle sera compacte, plus le tableau fera d'effet par la suite.

2. Maintenant, c'est à vous de jouer. Posez des vieux journaux sur la planche à repasser. Placez dessus le papier parcheminé plié en deux, recouvrez-le d'un nouveau journal, puis repassez pendant quelques instants. Les couleurs fondent alors sous l'effet de la chaleur. Les journaux posés sur et sous le papier parcheminé sont destinés à éviter que la « prairie estivale » se répande sur la planche et le fer à repasser. Dépliez ensuite prudemment la feuille. Lorsque la peinture est sèche, posez éventuellement un livre épais sur la feuille pour l'aplatir.

3. L'enfant peut maintenant coller les diverses fleurs pressées sur le papier.

4. Collez la prairie sur un carton de couleur ou une carte de vœux vierge. Si l'enfant veut offrir à quelqu'un un joli signet, il lui suffit de fixer un cordon à la carte.

SOUVENIRS DE VACANCES

Pendant les vacances en particulier, on passe beaucoup de temps avec les enfants dans la nature. Au cours des promenades, il y a une multitude de choses à découvrir et beaucoup d'entre elles peuvent être ramenées à la maison et conservées. Mais, vous le savez, les enfants ont beaucoup de mal à se défaire de leurs trésors, même s'il ne s'agit que de plantes ou d'herbes et c'est pourquoi nous vous proposons ici quelques idées pour transformer le fruit de ces collectes en souvenirs de vacances durables.

BRANCHES

Si le jeune vacancier aime récolter des branchages, débarrassez-les de leur écorce, puis demandez-lui de les peindre. Disposées dans un vase avec des rubans de couleur, ces branches constitueront une jolie décoration pour la maison.

CAILLOUX

Avec un peu d'imagination et de peinture, les cailloux peuvent être transformés en coccinelles, petites maisons ou serpents. Laissez-vous guider par la forme de l'objet et la fantaisie de votre enfant.

TABLEAUX DE VACANCES

Collez avec votre enfant les coquillages, les plumes, le sable, la mousse, les pommes de pin, l'herbe, les branches, l'écorce d'arbre et les cailloux qu'il a recueillis sur un mince panneau de bois ou sur une natte de plage usée. Vous pouvez également y ajouter une jolie photo. En contemplant le résultat, la famille retrouvera sûrement le souvenir de multiples anecdotes de vacances.

UN AUTOMNE RICHE EN COULEURS

FEUILLES D'AUTOMNE

Il est toujours agréable de se promener avec des enfants dans une forêt brillant des mille feux de l'automne. Chacun d'entre eux sera fasciné par les couleurs du feuillage et pourra constater, en ramassant les feuilles, qu'elles sont toutes différentes.

Les feuilles se distinguent principalement par leur forme. Il s'agit maintenant de savoir à quel arbre elles appartiennent. Avec un peu de chance, les arbres porteront encore quelques feuilles que l'enfant pourra comparer avec celles qu'il a trouvées. Quel est le nom de ces arbres ?

Répétons-le, la diversité des couleurs des feuilles est une source de ravissement constante. Il serait par conséquent intéressant de laisser sécher quelques feuilles aux tons particulièrement éclatants. Vous pourrez ainsi observer chaque jour avec votre enfant la façon dont les couleurs se transforment.

L'enfant aura certainement envie de faire un bricolage avec les feuilles récoltées. Pourquoi alors ne pas recourir à la technique de l'impression ?

1. Préparez une feuille de papier à dessin et appliquez sur celle-ci de la peinture au doigt dans les couleurs les plus typiques de l'automne : jaune, rouge, vert et marron.

2. L'enfant couvre ensuite la feuille d'arbre d'une mince couche de peinture au doigt et presse cette feuille sur le papier à dessin. Puis, il enlève très doucement la feuille d'automne.

Variante

Découpez avec l'enfant des feuilles de diverses formes dans du carton de couleur. Collez un bouchon sur une face de la feuille en carton pour que l'enfant ait une prise solide. Lorsque la surface inférieure de la feuille est enduite de peinture, l'enfant dispose d'un cachet amusant qu'il peut apposer sur des cartes de vœux.

Matériel

**des feuilles de différents types
de la peinture au doigt
des feuilles de papier à dessin DIN A3**

En forêt, les « jeux de feuillage » amusent toujours les enfants. Il suffit simplement de jeter les feuilles en l'air et de les faire pleuvoir ensuite sur le sol. Vous pouvez aussi cacher votre enfant sous les feuilles à la manière d'un hérisson qui hiberne.

ARBRE AUTOMNAL

Voici une autre possibilité de «recyclage» des feuilles ramassées lors de la promenade.

Une remarque importante : plus les teintes seront diversifiées, plus l'arbre sera joli.

Pour ce bricolage, vous pouvez utiliser sans hésiter des feuilles non séchées afin que la cime soit bien touffue. Toutefois, il s'agit de les coller soigneusement pour éviter qu'elles ne se recroquevillent en séchant et laissent apparaître des blancs sur le papier.

Vous pouvez également presser les feuilles au préalable. Utilisez à cet effet un catalogue épais ou une presse à fleurs.

1. Reproduisez le modèle d'arbre sur du carton de couleur et découpez-le avec votre enfant.

2. Collez les feuilles sur la cime de l'arbre. Couvrez en premier lieu les bords, puis continuez à placer les feuilles par couches jusqu'au centre.

Matériel

**du carton de couleur
des feuilles d'arbre
des ciseaux
de la colle**

Variante

Vous pouvez également confectionner une guirlande automnale pour la porte avec des feuilles de différentes couleurs fraîchement tombées de l'arbre. Demandez à votre enfant d'enfiler des feuilles sur un fil de jardinage. Fixez à chaque extrémité du fil un petit disque en carton pour que les feuilles restent bien en place. Vous pouvez également suspendre à cette guirlande divers fruits d'automne (châtaignes, glands, pommes de pin, noix).

Des bandelettes de papier crépon multicolores mettront le bricolage en valeur lorsque les feuilles auront pris une teinte marron foncé.

LANTERNE AUTOMNALE

Matériel

**du papier à dessin
transparent
du papier de couleur
des crayons à la cire
un dessous-de-verre
des ciseaux
de la colle**

L'automne et l'hiver ont aussi leurs bons côtés. Des bougies allumées peuvent conférer un caractère intime à une pièce. Comme les enfants sont généralement fascinés par l'éclat des bougies, ils prendront sûrement beaucoup de plaisir à réaliser eux-mêmes une lanterne de table. Lorsqu'elle sera terminée, vous pourrez y introduire une bougie pour chauffe-plats (il est difficile de tenir les enfants éloignés des bougies, mais avec celle-ci, vous limiterez les risques au maximum).

1. Découpez le papier transparent en fonction des dimensions du dessous-de-verre. N'oubliez pas les languettes à encoller pour fermer la lanterne (environ 1 cm) et pour la fixer sur le dessous-de-verre (environ 1,5 cm).

2. L'enfant couvre le papier d'une épaisse couche de couleur appliquée au crayon à la cire.

3. Repassez le papier en le plaçant entre des journaux. Les couleurs fondent, mais le papier journal permet de protéger le fer et la planche à repasser.

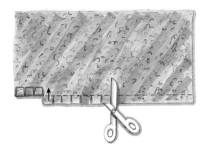

4. Pratiquez des encoches tous les 2 cm dans le bord inférieur du papier et repliez les languettes ainsi obtenues.

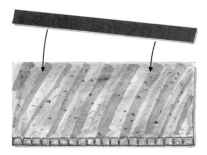

5. Consolidez le bord supérieur avec une bande de papier de couleur pliée en deux.

6. Fixez le papier sur le dessous-de-verre en collant les languettes. Puis, ramenez et collez les côtés l'un sur l'autre. Et voilà, il ne vous reste plus qu'à placer la bougie !

CARTES DE NOËL

Noël est certainement la fête de l'année où l'on envoie le plus de cartes de vœux. Le plaisir de recevoir le courrier est encore plus grand lorsque le destinataire sort de l'enveloppe une carte «faite maison» plutôt qu'une carte achetée dans le commerce.

1. L'enfant étend une mince couche de colle à tapisser sur le papier et couvre celle-ci de peinture.

2. Lorsque la couleur a un peu séché, il «dessine» un motif avec une vieille brosse à dents ou un peigne.

3. Disséminez des paillettes et des petites étoiles en papier métallisé, puis, après le séchage, fixez-les sur le papier avec un peu de laque en aérosol.

Le motif est assez joli pour figurer tel quel sur la carte de vœux. Mais vous pouvez aussi découper des bougies ou des cloches dans le papier ainsi décoré et les coller avec l'enfant sur la carte. Si le motif est découpé sur une double épaisseur pour former une carte à deux volets, il pourra également être attaché aux cadeaux.

Matériel

du carton de couleur blanche ou du papier à dessin fort
de la peinture au doigt et à l'eau
de la colle à tapisser
des paillettes
des petites étoiles
une brosse à dents
un peigne
de la colle

Ces cartes de vœux personnalisées émerveilleront à coup sûr leurs destinataires.

MONTAGE FLORAL DE NOËL

Matériel

une vasque
de l'oasis ou une motte
d'argile
des branches de sapin
des décorations
de Noël
une bougie

Lorsqu'on s'active aux décorations de Noël, tout le monde aime participer à cette tâche plaisante. Donnez donc à votre enfant une petite vasque ou une corbeille remplie d'oasis. Il pourra y enfoncer des petites branches de thuya, de pin et de sapin et décorer ce «montage floral» de nœuds, rubans et autres petits objets.

Il pourra y ajouter quelques objets achetés dans le commerce ou des décorations de Noël bricolées par vous-même selon la technique décrite à la page 51. Si vous le souhaitez, vous pouvez attacher aux branches des étoiles de papier jaune ornées de paillettes ou des petites étoiles en papier doré ; vous pouvez également coller une étoile sur une brochette et enfoncer le bâtonnet dans l'oasis parmi les branches.

Variante

Le bricolage ci-dessous permettra à l'enfant de faire ses premières expériences avec un nouveau matériau : l'argile.

1. Donnez-lui une motte d'argile de la grosseur d'un poing. Il «battra» ce matériau en le projetant à plusieurs reprises sur une planche pour que l'air s'en échappe. Dans ce cas, il n'est toutefois pas essentiel que les bulles d'air disparaissent complètement de l'argile, puisqu'elle ne doit pas être cuite, alors qu'elle le sera lors d'activités ultérieures. Il est donc souhaitable que l'enfant s'exerce dès maintenant à battre ce matériau. Cet exercice procure d'ailleurs beaucoup de plaisir car il permet de se libérer d'un trop-plein d'énergie.

2. Après avoir été abondamment battue, l'argile est malaxée et façonnée selon la

forme souhaitée. Pour notre «montage», la forme est relativement peu importante. La masse d'argile doit simplement être assez stable et épaisse pour recevoir les branches.

3. L'enfant enfonce ensuite les branches

dans l'argile. N'oubliez pas de placer la bougie tant que l'argile est encore fraîche et malléable.

4. L'argile doit alors sécher pendant quelques jours avant que l'enfant puisse décorer les branches de nœuds et autres petits objets de Noël.

Dans les chapitres précédents, nous avons présenté différentes techniques de coloriage et d'impression qui ont introduit l'enfant à la créativité.

Les bricolages présentés dans le chapitre suivant demandent un peu plus d'habileté, même si, en dépit de l'introduction de nouveaux procédés, ils font appel à des techniques familières. Votre enfant manie maintenant aisément les crayons, les ciseaux et la colle et peut en grande partie se débrouiller seul. Votre présence permanente à ses côtés n'est dorénavant plus nécessaire. Continuez cependant à l'aider s'il le demande, surtout pour de nouveaux projets.

JE SUIS PRESQUE UN EXPERT

JOUONS AVEC LES MARIONNETTES

Qui n'aime pas lire une histoire à un enfant ? Celui-ci dévore les images des yeux et suit attentivement la succession des événements. Pour rendre un livre d'images encore plus intéressant, vous pouvez accompagner votre récit d'une marionnette.

Les enfants adorent quand on leur raconte une histoire en se servant d'une marionnette ou d'une figurine. Si vous voulez présenter un nouveau livre à votre enfant, vous pouvez en fabriquer le personnage principal et vous en servir pour conter le récit. Après la première lecture, l'enfant voudra peut-être animer lui-même la marionnette au fur et à mesure du déroulement de l'histoire. Les plus petits aussi adorent ces mini-représentations théâtrales.

Outre ceux des livres d'images, les personnages classiques comme le roi, la reine, la sorcière, le méchant ou le policier sont toujours d'actualité. Et pourquoi pas raconter une histoire avec une marionnette que vous aurez vous-même inventée ?

Au cours des pages suivantes, nous vous présenterons diverses figurines de base. Quand vous fabriquerez la marionnette, laissez libre cours à l'imagination de l'enfant. Donnez-lui des matériaux différents pour la décorer, par exemple des chutes de tissu et des brins de laine, différentes sortes de papier, des serpentins et des perles. Vous serez étonné par les innombrables possibilités qui s'offrent à vous.

LA MAROTTE EN SAC DE PAPIER

Auriez-vous jamais imaginé que l'on pouvait fabriquer un roi et une reine à partir des matériaux les plus simples ? Leur réalisation est d'ailleurs un jeu d'enfant.

1. L'enfant commence par chiffonner des feuilles de papier journal pour bourrer 3/4 du sac en papier.

2. À l'aide d'un couteau bien tranchant, coupez l'écorce de la branche et enfoncez celle-ci dans le sac. Tout autour, bourrez encore de papier journal jusqu'à ce que la branche tienne solidement dans le sac.

3. Resserrez le sac de papier autour de la branche et fermez-le avec du ruban adhésif.

4. C'est maintenant que l'enfant intervient. Il colle des bouts de laine ou de papier crépon en guise de cheveux, fixe un morceau de tissu au cou de la marionnette en guise de vêtement et peint le visage. Il reste à confectionner une couronne en papier doré et la pièce peut commencer.

Matériel

une petite branche
un sachet en papier
du papier journal
un couteau
des ciseaux
de la colle
du ruban adhésif
transparent
des crayons
des brins de laine et
des chutes de tissu
du papier crépon
du papier doré

Cette marionnette peut bien sûr servir à introduire de nouvelles chansons. Votre enfant se fera une joie de la faire danser au rythme de la musique.

Marotte en filtre à café

Malheureusement, ce bricolage ne convient pas aux ménages où l'on ne boit que du thé !

1. L'enfant décore le filtre à la peinture à l'eau ou bien procède par impression. Veillez à ce qu'il ne mélange pas trop d'eau à la peinture, faute de quoi le filtre s'imbiberait d'eau et perdrait sa forme.

2. À l'aide de feutres, donnez un visage à la boule de ouate.

3. Pour que la petite robe soit encore plus belle, pliez et collez les bords rayés du filtre.

4. Enfoncez la brochette au centre du côté étroit du filtre, puis « embrochez » et collez la boule de ouate. Attention ! Pas de visage… dans le dos !

5. Pour éviter que le filtre ne glisse le long du bâtonnet, fixez une perle en bois sous la robe de la poupée, au niveau du cou. Si la perle elle-même glisse, introduisez un peu de colle dans son orifice. Si vous n'avez pas de perle en bois sous la main, vous pouvez utiliser du ruban adhésif dont vous entourerez la brochette sous le filtre.

6. Reproduisez le modèle des bras sur du carton de couleur, puis demandez à l'enfant de les découper et de les coller.

7. Des brins de laine ou des serpentins conviennent parfaitement pour faire les cheveux. Vous pouvez également peindre ou colorier une queue de cheval et couvrir le reste de la boule de ouate avec un foulard (triangulaire).

Matériel

**un filtre à café
une boule de ouate
une perle en bois
une brochette en bois
des crayons à la cire
de la peinture à l'eau
des feutres
du carton de couleur
des ciseaux
de la colle
des brins de laine**

MARIONNETTE-ASSIETTE EN CARTON

La poupée se transformera en lion si vous lui attachez autour du visage une longue bande de papier crépon jaune en guise de crinière. Vous pouvez lui donner du volume en la coupant en bandelettes à intervalles réduits.

Pour faire un clown, découpez dans du carton de couleur un chapeau et un nœud papillon que l'enfant peindra ou décorera en y collant de petits bouts de papier. Ces éléments seront agrafés à la marionnette-assiette.

Une princesse sera couronnée de carton jaune et pourra éventuellement recevoir de jolies boucles d'oreilles confectionnées avec des perles enfilées.

Matériel

**2 assiettes de carton
une agrafeuse
des feutres
des ciseaux
de la colle
des serpentins
des brins de laine et
des chutes de tissu**

1. Superposez les deux assiettes décor contre décor et agrafez-les en veillant à laisser une ouverture afin que l'enfant puisse y introduire la main.

2. L'enfant décore la marionnette à sa guise, au moyen de différents matériaux.

Réalisez les cheveux avec de la laine ou des serpentins. Utilisez des chutes de tissu pour confectionner une robe que vous agraferez le long de l'ouverture. Cela permet également de cacher le bras du marionnettiste en herbe. Pour le nez, collez éventuellement un morceau pointu découpé dans un carton à œufs.

Peut-être votre enfant aura-t-il envie de confectionner un animal imaginaire. Laissez-vous surprendre !

PÉDIBOULES

Matériel

**du papier ou du carton
de couleur
un ballon
un gros feutre
des ciseaux
de la colle
du papier glacé
des serpentins**

Les ballons fascinent surtout les tout-petits. Pourquoi ne pas en décorer un, au carnaval ou à l'occasion d'un anniversaire, par exemple ? Et quand on s'amuse à jeter en l'air ces « pédiboules », elles atterrissent toujours sur leurs pieds !

1. Reproduisez le modèle des pieds de ballon sur du carton et découpez-le avec votre enfant.

2. Réalisez de petites entailles dans le carton à l'endroit indiqué par la croix. Décorez les pieds en les peignant ou en les coloriant, ou au moyen de décalcomanies.

3. Gonflez le ballon et faites un nœud (qui gonfle le plus vite ? maman ou l'enfant ?). Introduisez le nœud dans le petit trou et fixez-le éventuellement par-dessous avec du ruban adhésif.

4. À l'enfant de jouer à présent : pour le visage, il découpera des yeux, un nez et une bouche en papier, puis les collera sur le ballon. S'il décide ensuite de colorier le visage, veillez à ce qu'il utilise un feutre très doux pour éviter que le ballon n'éclate.

5. Il reste à coller les bouts de laine ou les serpentins en guise de cheveux.

6. Si le ballon penche vers l'avant ou l'arrière, vous pouvez lui coller une petite cale en carton, juste sous le « cou » ou la « nuque ».

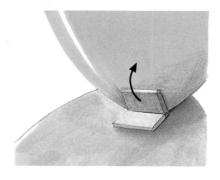

CHICHI, LA SOURIS

Avec cette petite marionnette à tenir sur le doigt, vous pouvez «jouer» des petites histoires que vous inventerez au gré de votre fantaisie. Peut-être possédez-vous aussi un livre d'images avec une histoire de souris, qui deviendra encore plus passionnante si c'est Chichi la souris qui la raconte.

Matériel

du carton gris et noir
du papier blanc
du cure-pipe rouge
des ciseaux,
de la colle
une agrafeuse
un crayon

1. Reproduisez le corps de la souris sur le carton gris, les oreilles, les pupilles et les moustaches sur du carton noir, puis découpez-les. Pour les yeux, utilisez du papier blanc.

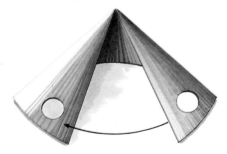

UNE MAISON POUR LA SOURIS :

En automne par exemple, vous pouvez ramasser avec votre enfant du maïs, des châtaignes, des glands, de l'herbe, des faines et beaucoup d'autres choses pour Chichi la souris. Prenez une boîte à chaussures en guise de maison et proposez à l'enfant d'y fabriquer un nid avec des pierres et de la mousse. L'espace restant dans la boîte sera consacré au garde-manger et accueillera toutes les provisions récoltées dans le bois. Et pourquoi ne pas confectionner un compagnon pour Chichi, voire toute une famille souris…

2. Avant de coller les côtés rectilignes l'un sur l'autre, n'oubliez pas de découper les trous pour les doigts !

3. Collez les oreilles à l'intérieur (sur 5 mm environ) et repliez-les vers le haut. Collez également les yeux et les pupilles.

4. Pliez les moustaches en deux, puis découpez de petites franges pratiquement jusqu'au centre. Collez-les ensuite à la pointe du nez de la souris.

5. Agrafez la queue entre les trous pour les doigts et donnez-lui une forme adéquate.

Introduisez le majeur et l'index dans les trous en cachant le pouce dans le corps et aussitôt, Chichi prend vie !

SILHOUETTES À LA MODE

Matériel

du carton de couleur
des brins de laine et
des chutes de tissu
du papier cadeau
différentes sortes de
papier
des crayons de couleur
un crayon gris
des ciseaux
de la colle

Les vêtements constituent un thème intéressant, même pour les tout-petits. Peuvent-ils déjà s'habiller seuls ? Si oui, le font-ils effectivement ? Votre enfant découvrira peut-être le plaisir de s'habiller par le jeu.

Donnez-lui de vieux dépliants ou des catalogues de mode. Faites-lui découper les vêtements qui lui plaisent. Collez ensemble les morceaux découpés sur du carton de couleur, en respectant l'ordre dans lequel votre enfant doit s'habiller le matin. Vous pouvez aussi lui proposer ces figurines qu'il pourra « habiller » lui-même.

1. Reproduisez le modèle sur du carton de couleur, puis demandez à l'enfant de découper ou de picoter les figurines. Peut-être aura-t-il encore besoin de votre aide pour découper.

2. À l'aide des matériaux disponibles (papier de couleur, papier cadeau, dessous-de-tarte en papier, feutrine, etc.), l'enfant peut habiller les figurines selon sa fantaisie.

3. Pour le visage, vous pouvez aider votre enfant soit à coller des yeux, un nez et une bouche en papier, soit à les dessiner directement.

Ces silhouettes conviennent également à de petits jeux de rôle. Dans ce cas, collez simplement un bâtonnet à esquimau à l'arrière des figurines, et voilà que papa, maman et les enfants s'animent !

BOUQUET DE MAI

Au mois de mai, les fleurs parsèment les jardins. Vous avez envie d'en décorer la maison mais il serait dommage de les couper ! Pourquoi ne pas créer un bouquet à partir de feuillages et de papiers colorés ?

1. Reproduisez le modèle de papillon sur le carton de couleur.

2. L'enfant découpe le papillon et le colorie s'il le souhaite.

3. Fixez les papillons à la branche de bouleau ou de noisetier au moyen d'un petit fil.

4. Coupez le papier crépon en bandes étroites et décorez la branche.

Matériel
une branche de bouleau ou de noisetier
du carton de couleur
du papier crépon
des ciseaux
de la colle
un crayon

Les petits papillons pourront aussi servir d'étiquettes à vos cadeaux.

UN PETIT OISEAU CHEZ SOI

Les tout-petits s'intéressent à presque tout ce qui se passe autour d'eux. À cet égard, l'été est bien sûr une période de prédilection, car c'est la saison où l'on peut observer le plus grand nombre d'animaux et où la nature est en perpétuelle évolution. Vous pouvez par exemple observer comment les oiseaux construisent leur nid, élèvent leurs petits, et comment les oisillons prennent leur envol. Avec leur sens de l'observation déjà aiguisé, les tout-petits remarquent d'ailleurs rapidement les différentes tailles des oiseaux ainsi que leurs divers plumages. Si votre enfant souhaite avoir un volatile à la maison, commencez par lui proposer un oiseau bricolé qu'il pourra pendre ou coller où il le veut. Si vous en avez l'occasion, construisez-lui aussi un nid !

1. Reproduisez deux fois le modèle de l'oiseau sur du carton de couleur, puis dessinez le bec, les yeux et les ailes.

2. L'enfant découpe l'oiseau et colle de petites boules de papier crépon sur les ailes.

3. Il colle sur le corps de l'oiseau des morceaux de papier, puis colorie le bec et les yeux avec des crayons de couleur ou des feutres.

4. Collez maintenant les deux oiseaux côte à côte, en glissant une brochette en bois entre les deux parties.

5. L'enfant presse à présent un peu de pâte à modeler dans un pot, puis le remplit de foin. Il ne reste plus qu'à enfoncer la brochette dans le nid de l'oiseau. Veillez à ce que le bâtonnet soit bien enfoncé dans la pâte à modeler.

UN OISEAU TOUT À FAIT DIFFÉRENT

Quand vous vous promenez avec votre enfant, ramassez toutes les sortes de plumes d'oiseaux que vous pourrez trouver. Il remarquera à n'en pas douter les différentes formes, couleurs et tailles. Si vous avez une perruche à la maison, utilisez également ses plumes.

1. Dans un premier temps, l'enfant perce des trous dans un des rouleaux (dessinez les zones à perforer). Si la tâche s'avère encore trop difficile, vous pouvez percer auparavant de petits trous au moyen d'une aiguille à coudre et l'enfant n'aura plus alors qu'à les agrandir avec l'aiguille à picoter. Ces trous serviront plus tard à ficher les plumes pour les ailes et la queue.

2. L'enfant peint le corps et la tête (un demi-rouleau de papier hygiénique) de l'oiseau avec de la peinture au doigt.

3. Pour fixer la tête, superposez le demi-rouleau perpendiculairement à une des extrémités du rouleau constituant le corps de l'oiseau.

4. Reproduisez le modèle du bec sur du carton de couleur et demandez à votre enfant de le découper. Pliez le bec en son centre et collez-le sur la tête.

5. Fixez à présent les plumes dans les trous. Pour éviter que l'oiseau ne se déplume trop rapidement, il est conseillé de plonger au préalable le tuyau dans de la colle.

6. Attachez un fil solide au corps de cet oiseau sorti du pays des rêves et vous pourrez enfin l'accrocher.

Matériel

du carton de couleur
des petits morceaux de papier ou de papier crépon
de la colle
des ciseaux
un pot de fromage blanc ou de margarine vide
un peu de foin
de la pâte à modeler
une brochette en bois
un crayon
un feutre

Matériel

2 rouleaux de papier hygiénique vides
du carton de couleur
un grand nombre de plumes
de la peinture au doigt
de la colle,
des ciseaux
une aiguille à picoter

ET MAINTENANT, LE NID !

Tressez du foin pour former une corde d'environ 60 cm de long et 2 à 3 cm de diamètre. Entourez-la de fil de fer fin, puis enroulez-la comme une coquille d'escargot. Enfoncez un fil de fer au centre de la spirale, faites-lui suivre la trajectoire d'un rayon, puis ramenez-le sur l'autre face du « nid » avant de le repasser par le centre. Répétez l'opération plusieurs fois jusqu'à ce que l'escargot soit tout à fait « ligoté ». Rejoignez enfin les deux extrémités du fil de fer et croisez-les. Posez votre « escargot de foin » sur la paume de la main et appuyez prudemment sur le centre avec l'aide de l'autre main, de manière à former un beau nid creux.

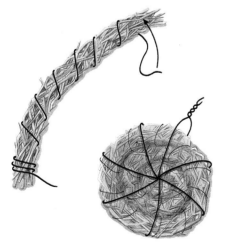

Matériel

du foin
du fil de fer

LA MARE AUX CANARDS

Se promener le long d'un lac ou d'un étang et nourrir les canards, quel enfant ne connaît pas cela? En général, les bambins essaient d'attirer les canards vers la rive avec des morceaux de pain. Le souvenir d'une telle expérience est un bon prétexte pour réaliser un bricolage approprié.

Matériel

**un couvercle de boîte à chaussures
du papier métallique bleu ou du papier crépon bleu
du carton de couleur jaune
un crayon
des feutres
des ciseaux
de la colle**

1. L'enfant colle du papier sur le fond du couvercle de la boîte à chaussures pour former son petit lac. Vous pouvez aussi facilement former des vagues avec du papier crépon. Cela vaut vraiment la peine d'essayer !

2. Quand vous aurez reproduit le modèle du canard sur le carton jaune, votre enfant pourra le découper et peindre le bec, les yeux et les ailes. Si le cœur vous en dit, vous pourrez également coller des ailes réalisées en plumes synthétiques ou naturelles (que vous aurez alors ramassées).

3. Pliez le long de la ligne pointillée à la base du canard et fixez la languette ainsi obtenue sur le lac.

Si votre enfant en manifeste l'envie, vous pouvez découper des roseaux dans du papier ou du papier crépon vert. Pour ce faire, mesurez la longueur du couvercle de la boîte à chaussures et découpez un morceau de papier d'une longueur équivalente. L'enfant coupe ensuite des pointes de différentes hauteurs sur un côté de la bande de papier. Collez l'autre côté de cette bande au couvercle de la boîte à chaussures.

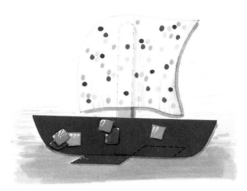

Les apprentis loups de mer peuvent aussi découper dans le carton de couleur un bateau au lieu d'un canard et le coller ensuite. Vous trouverez le modèle sur la feuille de patrons en annexe.

Au lieu de peindre le bateau, l'enfant peut le recouvrir de petits morceaux de papier. Vous pouvez ne découper que la coque et coller un bâtonnet à esquimau en guise de mât. Taillez ensuite une voile dans une chute de tissu et fixez-la à ce dernier.

Si le tissu est uni, votre enfant peindra la voile avec des feutres pour tissu.

LES PETITES OIES DUVETEUSES

Ces petites oies conviennent tout autant pour décorer une fenêtre que pour accompagner une comptine. Vous pouvez par exemple coller deux oies (ou plus) et une bande d'herbe sur un grand carton. Ajoutez-y un soleil et des nuages et vous obtiendrez un joli tableau pour une chambre d'enfants. Rien n'empêche bien sûr votre enfant de décorer l'environnement des oies à la peinture au doigt.

Pour se procurer les plumes, la solution la plus simple consiste à se rendre dans un magasin de literie, mais peut-être avez-vous aussi, dans un coin, un vieil oreiller bourré de duvet. Dans le cas contraire, demandez donc à vos parents ou à des amis.

1. Reproduisez le modèle de l'oie sur du carton blanc, puis demandez à votre enfant de le découper ou de le picoter.

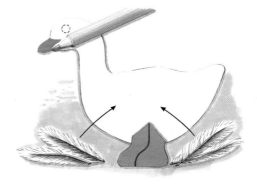

Matériel

**du carton blanc et
du carton orange
des plumes
des crayons
des ciseaux
de la colle**

2. Dessinez le bec et l'œil pour que l'enfant puisse ensuite les colorier.

3. Découpez les pattes dans du carton orange et collez-les au corps de l'oie.

4. L'enfant peut à présent commencer à coller les plumes sur l'oiseau.

GARE AUX AMANITES !

L'automne est la saison des champignons. Quel est le premier champignon que l'enfant apprend à identifier ? L'amanite tue-mouche, bien sûr ! Cette espèce, vénéneuse, présente des caractéristiques clairement définies, dont un enfant peut aisé-ment se souvenir. Ce petit bricolage sera l'occasion d'expliquer à l'enfant ce que sont les champignons et, surtout, de les mettre en garde contre les dangers qu'ils impliquent parfois !

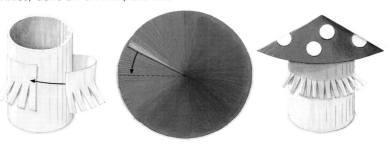

1. L'enfant recouvre le rouleau de papier hygiénique avec du papier blanc.

2. Sur une deuxième bande de papier (6 x 15 cm), réalisez des franges d'environ 1 cm de large et 3 cm de long. Collez cette bande aux trois quarts de la hauteur du rouleau et écartez légèrement les franges.

3. Reproduisez le modèle de la tête du champignon sur du papier rouge. Demandez à votre enfant de le découper et d'entailler le disque obtenu sur un rayon. Superposez légèrement les deux côtés de l'entaille et collez-les. Fixez ensuite la tête du champignon sur le rouleau.

4. Le moment est venu de donner à l'amanite ses taches blanches en ouate.

5. Découpez dans le carton vert un carré de 20 centimètres de côté et collez-y le champignon.

Si votre enfant possède encore, dans sa boîte à trésors, de la mousse ou quelques faines, feuilles, châtaignes, pommes de pin ou autres, il peut décorer le sol autour des champignons en y collant ces matériaux trouvés dans la nature.

Peut-être avez-vous aussi une peluche ou une figurine qui conviendrait au décor ?

NAPPE D'AUTOMNE

En automne, la forêt revêt son beau manteau doré. Le feuillage éclate de mille feux, chaque feuille est différente. Emportez donc un peu de cette diversité chez vous. Les enfants, qui aiment travailler avec la peinture pour tissu, apprécieront sans aucun doute beaucoup cette idée de bricolage.

Avant de passer à l'action, examinez encore attentivement les feuilles récoltées avec les enfants. Attirez leur attention sur les différences de forme et de texture (certaines feuilles sont souples, d'autres plus rigides). Les enfants remarqueront très vite que nombre d'entre elles ne sont pas uniquement rouges, jaunes ou vertes, mais qu'elles présentent un subtil mélange de couleurs, comme la nappe que vous allez réaliser. Pour que celle-ci soit vivante et gaie, l'enfant doit donc, dans la mesure du possible, enduire la feuille de deux ou trois couleurs d'automne avant de procéder à l'impression.

1. Ramassez ensemble des feuilles et nettoyez-les.

2. Avec un pinceau, l'enfant couvre la feuille de peinture pour tissu. Veillez à ce qu'il n'applique pas une couche trop épaisse, sans quoi la couleur s'étendra à l'impression et les contours ne seront plus nets. L'impression produit un effet optimal lorsque la peinture est étendue dans un seul sens sur la feuille.

3. Pressez la feuille enduite sur la nappe. Posez une feuille de magazine par-dessus, pressez d'abord uniformément, puis passez la main fermement et plusieurs fois sur la feuille.

4. Dans la plupart des cas, il convient de fixer les peintures pour tissu au fer à repasser. Respectez à cet égard les instructions du fabricant.

Les enfants pressent habituellement les feuilles n'importe où sur la nappe. Si vous estimez que les couleurs sont trop vives, indiquez à l'enfant qu'il doit par exemple limiter ses impressions au bord ou au centre de la nappe. Des sets de table décorés selon la même technique sont également un vrai régal pour les yeux.

Matériel

**une nappe en lin ou en coton
de la peinture pour tissu, un pinceau
des prospectus
des magazines
des feuilles d'automne fraîchement ramassées**

Cette nappe convient particulièrement à un travail de groupe. Il est cependant souhaitable que les enfants aient déjà imprimé des feuilles ou se soient au moins exercés sur des chutes de tissu avant de s'atteler à la tâche.

PAYSAGE D'HIVER

À l'occasion d'une promenade, ramassez avec votre enfant de la mousse, des pommes de pin, des morceaux d'écorce ou d'autres choses encore, et discutez-en avec lui. Montrez-lui par exemple une pomme de pin rongée ou comparez les différentes sortes de mousses. Voilà une manière intéressante de se balader.

Vous pouvez conserver le fruit de votre récolte dans le garage ou à la cave. La mousse va légèrement se dessécher, mais elle reprendra vigueur si vous l'arrosez quelque peu.

1. Posez avec votre enfant une tranche d'oasis d'environ 4 cm d'épaisseur dans le couvercle de la boîte à chaussures.

2. L'enfant la recouvre de mousse et y répartit quelques pommes de pin, morceaux d'écorce et feuilles.

3. Séparez un peu de ouate et étendez-la comme de la neige sur la mousse. L'enfant peut maintenant enfoncer de petites branches de sapin dans la mousse.

4. Pour le bonhomme de neige, prenez deux boules de ouate, enfoncez un cure-dents jusqu'à la moitié d'une boule, puis posez l'autre par-dessus en la fixant éventuellement avec un peu de colle.

5. Pour le chapeau, coupez le bouchon en deux. L'enfant peint l'une des deux moitiés obtenues avec de la peinture au doigt noire.

6. Pour le bord du chapeau, découpez dans du papier noir un disque sur lequel vous collerez le bouchon peint en noir.

7. Il ne vous reste plus qu'à coller le chapeau sur le bonhomme de neige.

8. Avec des feutres, donnez un visage à votre bonhomme de neige. N'oubliez pas les boutons sur le ventre !

Variante

Prenez une brochette en bois et enfoncez-la par le bas dans la boule formant le corps du bonhomme de neige, en la fixant éventuellement avec un peu de colle. Cette petite astuce vous permet d'animer votre jolie figurine. Votre enfant appréciera beaucoup d'accompagner sa chanson « Dans la nuit de l'hiver, galopin, galopant, galope un grand homme blanc » en animant un bonhomme de neige qu'il aura lui-même confectionné. Rien ne vous empêche bien sûr de laisser venir à vous l'inspiration pour conter de belles histoires hivernales à votre enfant.

Si votre enfant est particulièrement triste parce qu'il ne neige pas, faites tomber la neige dans la maison ! À partir de chutes de papier blanc, découpez avec votre enfant un maximum de tout petits morceaux qui deviendront autant de flocons de neige. Étendez ensuite un drap sur le sol et éparpillez-y les flocons. Le nuage neigeux est maintenant prêt.

Prenez ensuite le drap par un côté et demandez à votre enfant de le prendre avec vous par l'autre côté. S'il y a plusieurs enfants, chacun peut tenir un bord du drap et le secouer légèrement de façon à faire frémir les flocons dans le nuage. Puis,

accélérez les mouvements tous ensemble et soudain, les flocons de neige tourbillonnent dans les airs !

Quand le nuage a perdu tous ses flocons, il n'est pas difficile de les rassembler à l'aide d'un balai et de reconstituer le nuage. Et la bourrasque de neige peut à nouveau s'abattre sur les participants !

Vous pouvez donner à votre bonhomme de neige une branche de bouleau comme bâton. Et n'oubliez pas l'écharpe que vous réaliserez en papier crépon.

Pour un enfant, petit ou grand, le jour de l'anniversaire est toujours un grand événement. Les invités et les cadeaux sont attendus avec impatience… L'enfant se réjouit de chaque surprise et profite pleinement de cette journée où il est le roi.

Bien souvent, rien ne sert de préparer des pâtisseries trop élaborées, car les enfants restent très peu de temps à table. Ils trépignent à l'idée des jeux auxquels ils vont s'adonner ensemble. Donnez-leur alors l'occasion de mettre en pratique leurs propres idées de jeu. De temps en temps, si cela se présente, animez un jeu ou réalisez un bricolage avec eux. Mais prévoyez toujours ce que vous voulez faire et préparez à l'avance tout ce dont vous aurez besoin.

UNE FÊTE
D'ANNIVERSAIRE RÉUSSIE

INVITATIONS À LA FÊTE D'ANNIVERSAIRE

Vous pouvez rapidement réaliser des invitations personnalisées à partir de cartons de couleur. Le futur roi de la fête prendra d'ailleurs plaisir à vous aider.

1. Dessinez sur du carton de couleur un motif que vous aurez choisi avec votre enfant. Selon ses goûts, il s'agira d'une fleur, d'un animal, d'une voiture ou de quoi que ce soit qui lui plaise. Vous trouverez certainement votre bonheur sur la feuille de patrons en annexe.

2. Quand l'enfant aura découpé les motifs, il coloriera ou peindra le recto, tandis que le verso sera consacré au texte de l'invitation.

Une invitation dans une enveloppe assortie, c'est encore mieux…

1. Coupez dans du papier de couleur un rectangle de 16 cm sur 20.

2. Pliez-le en deux et coupez des vagues sur le bord opposé au pli.

3. Collez à présent les deux petits côtés.

4. Reproduisez aussi le modèle du poisson sur du papier de couleur et découpez-le. Dessinez l'œil avec un feutre.

5. Au verso, vous écrirez le texte de l'invitation. Glissez enfin le poisson dans l'enveloppe.

Matériel
du papier ou du carton de couleur
un crayon gris
un feutre ou un crayon de couleur

Deux invitations amusantes… peut-être pour une fête où l'on barbotera dans l'eau ?

Pour Thomas

74

VIVE LE ROI DE LA FÊTE !

Pour que votre enfant se sente vraiment le roi de la fête, vous pouvez lui confectionner une couronne d'anniversaire. Ce sont surtout les filles qui apprécient ce genre d'attention.

1. Coupez une bande d'environ 4 cm de large dans du carton de couleur. Mesurez le tour de tête de votre enfant et collez les extrémités de la bande à la longueur adéquate. Agrafez aussi pour plus de solidité.

2. Découpez dans du papier crépon de plusieurs couleurs 24 bandes de 2 cm sur 25.

3. Superposez les extrémités des deux séries de 12 bandes multicolores et agrafez-les de chaque côté de la couronne.

4. Il ne manque plus que les roses sur les côtés. Coupez dans du papier crépon une bande de 60 cm sur 6. Sur un côté de la longueur, étirez le papier. Ensuite, commencez à plier en accordéon le côté non étiré sur 5 à 6 cm. Entourez ce « cœur » une fois, puis recommencez à plier une petite longueur en accordéon. Maintenez bien le papier de façon à ce qu'il ne se déroule pas, puis agrafez une rose de chaque côté de la couronne, à l'endroit où vous avez attaché les bandes de couleur.

5. Améliorez encore la forme de la fleur en travaillant un peu le papier crépon.

Vous pouvez aussi décorer l'avant de la couronne, en apposant par exemple des motifs d'animaux. Reproduisez les modèles sur du papier de couleur, puis découpez les figurines dont vous tracerez le visage au feutre avant de les coller.

Cette couronne d'anniversaire n'est pas toujours appréciée des garçons. Si vous voulez quand même offrir quelque chose à votre petit garçon pour le mettre à l'honneur, fabriquez-lui une visière qui sera ensuite décorée selon ses goûts personnels.

Matériel

du papier et du carton de couleur
du papier crépon
une agrafeuse
un crayon, des feutres
des ciseaux
de la colle

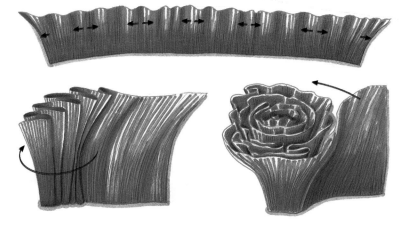

CARTONS DE TABLE ANIMALIERS

Matériel

du carton de couleur
des images coloriées
par votre enfant
un crayon
un feutre
des ciseaux
de la colle

Pour éviter le désordre lors du passage à table, prévoyez les places qu'occuperont les enfants et posez des cartons nominatifs.

1. Découpez dans du carton de couleur des carrés de 10 cm sur 10 environ et pliez-les en deux.

2. Votre enfant ou vous-même découperez les motifs sélectionnés dans les images peintes ou coloriées que vous aurez choisies ensemble.

3. Collez à présent les motifs sur les cartons et écrivez le nom des invités, de préférence au feutre.

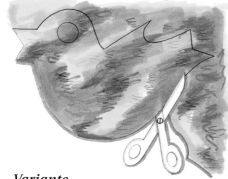

Variante

Vous pouvez également faire goutter de la cire d'une bougie rouge sur une carte, puis quand elle aura refroidi, dessinez de chaque côté trois petites pattes. Vous obtiendrez ainsi de mignonnes coccinelles !

Chaque invité peut bien sûr emporter son petit carton !

76

ANNEAUX DE SERVIETTE

Les enfants aussi apprécient les tables garnies avec goût. À ce propos, ces splendides anneaux de serviette sont très faciles à réaliser !

1. Reproduisez le motif choisi sur du carton de couleur et découpez-le.

2. Découpez un trou ovale ou pratiquez simplement une fente pour y glisser la serviette.

3. Dessinez le visage s'il s'agit d'un animal et écrivez éventuellement le nom de l'invité sur l'anneau. N'oubliez pas la serviette !

Vous pouvez chercher avec votre enfant d'autres motifs pour réaliser de jolis anneaux de serviette.

Matériel

**du carton de couleur
un crayon
des feutres
des ciseaux**

La décoration des différentes places à table ne doit pas nécessairement être uniforme. Vous pouvez très bien surprendre chaque enfant en utilisant des motifs personnalisés.

BOUGIES D'ANNIVERSAIRE SUR PATTES

Matériel

**du carton de couleur
noir et rouge
du papier blanc
un crayon
un feutre
des ciseaux
de la colle
une perforatrice
des bougies pour
chauffe-plats**

Vous pouvez avantageusement remplacer le bougeoir classique par... une coccinelle ! Les bougies pour chauffe-plats présentent l'avantage de ne pas se renverser en un clin d'œil dès que vous avez le dos tourné. En outre, chaque coléoptère peut porter quatre bougies.

1. Reproduisez les modèles sur du carton de couleur et découpez-les.

2. Collez les ailes rouges sur le corps noir.

3. Dessinez avec un feutre noir le trait central sur le carton rouge et des points noirs sur chaque moitié.

4. À l'aide d'une perforatrice, faites deux yeux de papier blanc que vous collerez sur le carton noir à l'emplacement voulu.

5. Retournez la coccinelle, puis posez une bougie sur son ventre et tracez-en le contour. Dans ce cercle, dessinez-en un autre plus petit que vous éliminerez en le découpant à l'aide de ciseaux pointus. À partir de cet évidement, entaillez le carton, de façon à former toute une série de petites languettes pointues dont la base sera le cercle extérieur.

6. Replacez le coléoptère sur ses pattes, puis introduisez la bougie dans l'ouverture en enfonçant les languettes vers le bas. De cette façon, la bougie sera tout à fait stable.

JOUER AVEC LES INVITÉS

Les jeux font partie intégrante d'une fête réussie. Beaucoup peuvent s'improviser, comme par exemple colin-maillard ou « Jacques a dit ». Nous vous proposons ici quelques autres jeux intéressants dont le matériel, au moins en partie, devra être confectionné par les participants et pourra bien sûr être emporté à la maison.

COURSE DE COCCINELLES

Pour ce jeu, les enfants fabriquent eux-mêmes les figurines, mais vous devrez néanmoins préparer ce bricolage à l'avance, car au moment de la réalisation, il faudra sans doute aider l'un ou l'autre enfant. Ainsi, si vous perforez déjà les bâtons et y attachez le fil (celui-ci doit être de la même longueur pour chaque coccinelle) et si vous reproduisez les modèles de coccinelles sur le carton, tout se passera sans encombre au moment crucial. Pensez aussi que vous aurez besoin d'une paire de ciseaux pour chaque enfant. Si vous n'en avez pas assez, demandez-en à d'autres mamans ou signalez-le sur l'invitation : « Amène aussi… ».

1. Percez le bâton en son centre et attachez-y un fil de 1,50 m environ.

2. Reproduisez le corps de la coccinelle sur le carton noir et le cercle pour les ailes sur le carton rouge.

3. Les enfants découperont eux-mêmes les motifs. Pliez ensuite le cercle pour les ailes en deux, puis rouvrez-le et découpez le long de la ligne ainsi formée.

4. Les enfants peuvent maintenant coller les deux ailes rouges sur le corps noir.

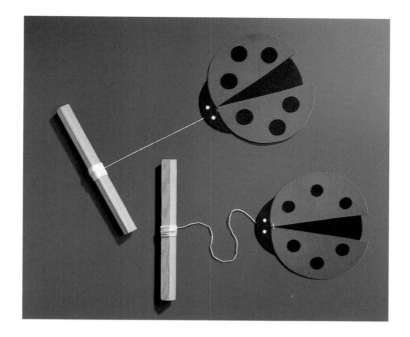

Une fois la colle sèche, ils peuvent dessiner des points noirs sur les ailes et fixer la coccinelle au fil.

PROPOSITION DE JEU

Quand tous les enfants sont prêts, la course peut commencer. Les enfants alignent les coccinelles sur le sol. Chacun d'entre eux tient en main son petit bâton dont le fil est bien tendu. La distance entre l'enfant et sa coccinelle doit bien entendu être la même pour tous. Dès le signal de départ, les enfants commencent à enrouler le plus rapidement possible le fil autour du bâton.

Le premier qui a ramené sa coccinelle jusqu'au bâton est déclaré vainqueur !

Matériel

du carton de couleur noire et rouge
un bâton (environ 20 cm de long)
du fil solide

Matériel

des chutes de tissu
du papier journal
de la ficelle
du papier crépon
des ciseaux

BALLE À LASSO

Quel enfant n'aime pas lancer et faire rouler une balle ? Celle-ci convient particulièrement à des petits, car elle n'est vraiment pas dure et peut être lancée sans danger à travers la maison. En outre, chacun sera émerveillé par les bandes de couleur volant dans les airs.

1. Découpez un cercle d'environ 20 à 25 cm de diamètre dans une chute de tissu.

2. Formez une boule de papier journal et posez-la au centre du morceau de tissu.

3. Emballez la boule de papier dans le tissu et fermez solidement ce petit « sac ».

4. Coupez des bandes de papier crépon de longueurs différentes (environ 2 cm de large) et de toutes les couleurs. Rassemblez les bandes et liez-les à une extrémité avec de la ficelle. Fixez ensuite l'ensemble sur la balle.

5. Il manque encore le lasso : prenez une longueur de ficelle suffisante, que vous attacherez à la balle d'un côté et sur laquelle vous réaliserez une boucle à l'autre extrémité.

Proposition de jeu

L'enfant tient le lasso par la boucle de la ficelle et, par des mouvements circulaires, fait tournoyer la balle et siffler les bandes dans les airs.

Matériel

un rouleau de papier
ménage vide
un dessous-de-tarte en
carton
du papier glacé
des crayons à la cire
des ciseaux
de la colle

RAQUETTE À BALLONS

Votre enfant s'amusera sûrement beaucoup avec ce jouet tout simple. Vous n'aurez plus qu'à gonfler un ballon et le jeu pourra commencer (même dans la chambre d'enfants ou dans le salon).

1. Pratiquez deux entailles face à face à une extrémité du rouleau de papier ménage.

2. L'enfant colorie le dessous-de-tarte, selon sa fantaisie, avec des crayons à la cire.

3. Enfoncez ensuite la palette dans les entailles du rouleau et fixez-la avec de la colle.

4. Pour que la raquette soit encore plus jolie, vous pouvez recouvrir le manche de papier glacé.

Proposition de jeu

Grâce à la raquette, le ballon peut être sans cesse renvoyé dans les airs ou dans des buts que vous aurez confectionnés vous-mêmes. L'enfant s'amusera encore davantage si vous lui proposez d'envoyer le ballon dans un panier. Et pourquoi pas organiser une petite compétition avec tous les invités à la fête ?

Matériel

une boîte à chaussures
un crayon, des feutres
des ciseaux, de la colle
du papier de couleur
ou du papier glacé

CAISSETTE À BILLES

Presque tous les enfants jouent aux billes. Ajoutez un peu de suspense au jeu en proposant cette caissette colorée. C'est un bricolage qui en vaut vraiment la peine.

1. Découpez des « portes » de taille différente sur une longueur de la boîte à chaussures.

2. Inscrivez au-dessus de chacune d'elles un chiffre correspondant au nombre de points qui peuvent être obtenus au cours du jeu. Bien sûr, plus la «porte» sera petite, plus le nombre de points sera élevé.

3. Demandez à votre enfant de peindre la boîte ou de la décorer de papiers multi-colores collés.

Proposition de jeu

Posez la caissette à billes par terre, contre un mur, ouvertures face à vous. Les enfants s'accroupissent à une certaine distance et reçoivent chacun plusieurs grosses billes de verre. Chacun à leur tour, ils essaient de viser les buts. Selon les règles déterminées, ils pourront réaliser 4 à 6 essais.

Celui qui obtient le plus de points gagne !

Matériel

une boîte à chaussures
blanche
un assortiment de
papiers de couleur
un crayon
des feutres
des ciseaux
de la colle

BOÎTE À DEVINETTES

Ce jeu convient très bien aux fêtes d'anniversaire, mais vous pouvez aussi l'utiliser en vacances, lorsque la pluie exclut les jeux en plein air.

1. Reproduisez tous les modèles sur du papier de couleur et découpez-les.

2. Posez le nœud papillon du clown sur l'envers du couvercle de la boîte et dessinez-en les contours. Après avoir enlevé le nœud, dessinez le trou «d'exploration», puis découpez-le. Soyez prudent, car le carton est en général assez épais.

3. Recouvrez ensuite toute la surface du couvercle de la boîte à chaussures d'une feuille de papier de couleur, puis découpez, à nouveau de l'intérieur, la partie de la feuille de papier de couleur obstruant le trou d'exploration.

4. Collez ensuite la tête du clown, son visage, son chapeau avec la fleur et enfin le nœud papillon. Dégagez une nouvelle fois de l'intérieur le trou d'exploration.

5. Enfin, dessinez au feutre les yeux et la bouche.

Proposition de jeu

Déposez dans cette boîte à devinettes divers objets que les enfants devront reconnaître au toucher. Vous pouvez y dissimuler des objets ramassés lors de promenades (pommes de pin, glands, châtaignes, pierres, mousse), des petits jouets ou des objets courants. Tout ce que l'on peut toucher et qui rentre dans la boîte est permis ! Placez donc en cachette quelques objets dans la boîte. L'enfant y plongera ensuite la main par le trou d'exploration, tâtera ces choses mystérieuses et devra deviner de quoi il s'agit !

UNE FÊTE D'ANNIVERSAIRE RÉUSSIE 83

Pour qui sait l'apprécier, tout ce qui est confectionné des mains d'un enfant est un véritable cadeau. Les objets dans lesquels un petit a mis toute sa fantaisie, son habileté et son savoir-faire n'ont pas de prix et restent toujours un très beau souvenir. En principe, tous les bricolages présentés jusqu'à présent peuvent servir de cadeau pour les grands-parents, les amis, la famille. Mais dans la première partie de ce chapitre, nous aimerions vous donner encore quelques idées.

Dans les pages qui suivront, nous vous proposerons quelques bricolages que vous pourrez cette fois offrir à des enfants. Vous constaterez qu'il est tout à fait possible de créer la surprise sans devoir engager de grandes dépenses. Beaucoup de belles choses peuvent en effet être réalisées à peu de frais.

UNE MINE D'OR
DE CADEAUX

TISSU ÉPONGE À EMPREINTES

Matériel

une serviette de toilette (ou tout autre tissu en éponge)
de la peinture pour tissu
un gros pinceau
des journaux
un chiffon

Les impressions de mains d'enfant dans de l'argile ou dans du plâtre sont des cadeaux que l'on aime faire aux grands-parents ou aux parrains et marraines. Voici une autre façon d'exploiter cette bonne idée.

Pour réaliser des impressions sur des serviettes ou des gants de toilette, les feutres pour textile ne conviennent pas. Utilisez plutôt de la peinture pour tissu.

1. Préparez tout ce dont vous avez besoin et n'oubliez pas de vous munir d'un chiffon pour vous essuyer les mains. Recouvrez la surface de travail de journaux ou d'une toile cirée.

2. Enduisez la paume de la main de votre enfant de peinture pour tissu au moyen d'un pinceau. Expliquez-lui que lorsqu'il l'imprimera, il devra légèrement écarter les doigts.

3. Dirigez la main de votre enfant lors de l'impression, et renforcez un peu la pression qu'il appliquera sur la serviette.

4. Enlevez prudemment la main, remettez une bonne couche de peinture sur la paume et recommencez l'opération jusqu'à ce que la serviette soit couverte de mains colorées.

Si vous changez de couleur, il est conseillé de nettoyer la paume de la main avec un chiffon humide, afin d'obtenir une impression plus nette. Si possible, commencez par les couleurs les plus claires et passez progressivement aux plus foncées.

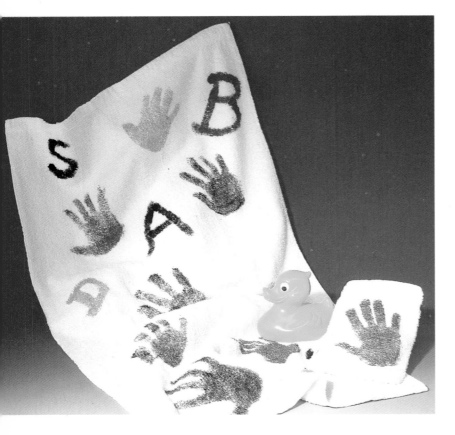

NAPPERONS DÉCORÉS

Un napperon ou un set de table décoré par impression est également un cadeau très apprécié. Selon vos possibilités et votre habileté à la couture, vous pouvez soit acheter un napperon en coton blanc et le faire imprimer par votre enfant, soit découper et ourler un morceau de tissu blanc de la taille que vous désirez.

1. Lavez le tissu avant de l'imprimer, car l'apprêt empêche la couleur d'imprégner les fibres. Repassez-le ensuite.

2. L'enfant peut réaliser les impressions avec ses doigts ou bien avec un bouchon de liège. Laissez-le essayer d'autres «cachets», comme des morceaux de bois, des petites éponges ou des gommes. Il appréciera particulièrement de pouvoir imprimer des pois les uns à côté des autres ou les uns sur les autres, au gré de sa fantaisie.

Bien sûr, l'enfant peut compléter la décoration en dessinant ou en portant des inscriptions avec des feutres pour tissu.

Matériel

du tissu blanc
de la peinture ou des feutres pour tissu
un chiffon
un couvercle de pot à confiture

Respectez les indications du fabricant : certaines peintures doivent être repassées pour leur assurer une bonne tenue.

DESSOUS-DE-VERRE BARIOLÉS

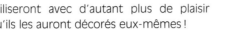

Matériel

**des dessous-de-verre
du papier de couleur
des serviettes en
papier
une feuille de plas-
tique autocollant
des ciseaux
de la colle à tapisser**

Les enfants, eux aussi, se rendent compte de l'utilité des dessous-de-verre. Et ils les utiliseront avec d'autant plus de plaisir qu'ils les auront décorés eux-mêmes !

1. Séparez les différentes couches de la serviette en papier, de sorte que votre

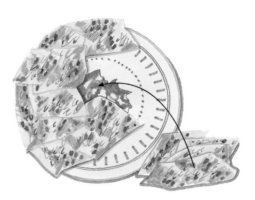

enfant puisse déchirer les voiles obtenus en petits morceaux.

2. À l'aide de colle à tapisser, collez les petits morceaux bien à plat sur le dessous-de-verre. Souvent, plusieurs couches sont nécessaires pour cacher complètement l'image initiale.

3. Repliez les bords qui dépassent, puis recouvrez le dos du dessous-de-verre d'une feuille de papier de couleur.

4. Quand la colle à tapisser est bien sèche, recouvrez le tout de plastique adhésif transparent.

ANNEAUX DE SERVIETTE FLEURIS

Pour l'anniversaire d'un membre de la famille, votre enfant peut confectionner des anneaux de serviette fleuris qui peuvent porter le nom des invités et faire en même temps office de cartons de table.

1. Découpez, dans du carton de couleur, des bandes d'environ 13 x 3 cm.

2. Collez ou agrafez les extrémités pour former un anneau.

3. Reproduisez à présent le modèle de la fleur sur du carton de couleur et demandez à votre enfant de découper les pétales et le cœur.

4. Collez le cœur et inscrivez le nom de l'invité sur les pétales. Collez ensuite la

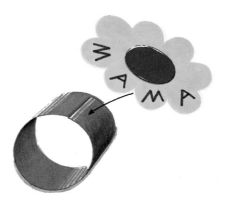

fleur sur l'anneau, à l'endroit du collage ou de l'agrafage de celui-ci.

Matériel

**du carton de couleur
des ciseaux
de la colle
un crayon**

Variante

Pour donner encore plus de cachet à vos anneaux de serviette, vous pouvez en décorer le cœur d'une petite boule de papier crépon. Et si vous y versiez aussi quelques gouttes d'huile aromatique ?

CADEAU PARFUMÉ

Matériel

une chute de tissu
blanc
de la dentelle blanche
du velours
des pétales parfumés
des ciseaux dentelés
une aiguille
du fil
des feutres pour tissu

Les petits sachets parfumés ont de nos jours plus de succès que jamais.

1. Reproduisez deux fois le modèle du cœur sur la chute de tissu et découpez-les.

2. Avec des feutres pour tissu, votre enfant peut colorier le tissu au gré de sa fantaisie.

3. Si vous le souhaitez, vous pouvez coudre la dentelle sur le côté gauche de l'un des cœurs.

4. Superposez les deux chutes de tissu et placez la dentelle entre les deux pièces,

Votre enfant aura certainement du mal à se séparer de son petit cœur parfumé !

puis cousez l'ensemble à la main ou à la machine. Laissez cependant une petite ouverture pour le remplissage.

5. L'enfant ou vous-même introduirez alors les pétales parfumés avant de fermer l'ouverture. Si vous souhaitez plus tard rafraîchir vos pétales, vous ne devriez pas éprouver trop de difficultés à la rouvrir.

6. Au-dessus du cœur, cousez une boucle qui permettra de le suspendre.

Variante

Si vous n'avez pas beaucoup de temps, prenez simplement un mouchoir blanc

bordé de dentelle que votre enfant peindra ou imprimera et passez un fil dans le bord inférieur de la dentelle. Quand vous tirez sur ce fil, le mouchoir se referme pour former un petit sac que vous pouvez alors remplir de pétales parfumés.

UN BIEN JOLI PLAT !

Qui n'a pas usage d'un beau plat décoratif ? Bricolez-en un avec votre enfant !

1. Enduisez d'huile l'extérieur du plat.

2. L'enfant déchire le journal en morceaux pas trop petits, puis colle les bandes de

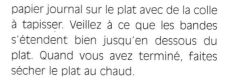

papier journal sur le plat avec de la colle à tapisser. Veillez à ce que les bandes s'étendent bien jusqu'en dessous du plat. Quand vous avez terminé, faites sécher le plat au chaud.

3. Après une bonne journée, séparez le plat de son enveloppe en tournant prudemment et laissez sécher l'intérieur.

4. Une fois la colle à tapisser complètement sèche, l'enfant peint le plat à la peinture au doigt.

5. Laissez ensuite sécher la couleur et, si vous le souhaitez, vernissez votre plat.

Selon les saisons, vous pouvez décorer votre plat avec des coloquintes, des noisettes ou du pot-pourri. Les coings sont particulièrement jolis et répandent un agréable parfum.

VERRES ET VAISSELLE BIGARRÉS

Matériel

des assiettes
des verres, etc.
de la peinture pour
vitrail
un pinceau
un chiffon

Votre enfant préfère certainement des assiettes, des tasses et des verres décorés de motifs enfantins et colorés. Confectionnez-lui donc de la vaisselle personnalisée avec de la peinture pour vitrail. De nombreux magasins d'articles ménagers proposent souvent des offres spéciales (par exemple des fins de série) dont vous pouvez faire bon usage en réalisant ce bricolage.

Vous pouvez peindre verres, gobelets, tasses, assiettes, coquetiers, etc. Les verres qui conviennent le mieux sont les grands verres droits.

1. La peinture pour vitrail s'applique avec un pinceau normal.

2. Cuisez ensuite la peinture au four (respectez les instructions du fabricant de la peinture).

Vérifiez de temps à autre la température de la porcelaine. Pour éviter que les objets n'éclatent dans le four, baissez la température (même si cela va à l'encontre des instructions du fabricant). Attention : cette peinture ne résiste malheureusement pas au lave-vaisselle.

Tout cela a l'air bien plus compliqué que ça ne l'est réellement. Tentez l'expérience !

Variante

Pour faire une jolie table, il faut non seulement un joli couvert, mais aussi une belle nappe. Si vous voulez personnaliser la décoration de la table des enfants pour un anniversaire par exemple, oubliez les nappes en papier, car leur beauté ne les empêche pas d'être bonnes à jeter après une seule utilisation. Réalisez plutôt avec votre enfant une nappe en coton ou en lin tout à fait originale.

Vous pouvez assortir les motifs de votre nappe à ceux de la vaisselle personnalisée.

Procurez-vous une nappe de ce type et de la grandeur requise. Avant d'envisager un achat coûteux, demandez à votre famille et à vos connaissances s'ils ne peuvent pas vous en donner une dont ils ne se servent plus. Vous ne devez pas nécessairement trouver une nappe : un drap de lit peut très bien être converti à cet usage !

Pour la décoration, utilisez de la peinture pour tissu, ou des feutres pour tissu que vous trouverez en magasin de bricolage et qui permettent d'éviter le repassage. Du rouge, du bleu, du vert et du jaune suffiront déjà à créer une nappe aux couleurs chatoyantes.

Votre enfant aura peut-être envie de peindre la nappe avec vous. De simples traits de couleur, des points, des bonshommes stylisés ou des maisons apporteront déjà une touche rigolote. S'il s'agit d'une nappe pour un anniversaire, vous pouvez la décorer avec tous les invités ou demander à chacun d'imprimer sa main sur le tissu.

Réfléchissez au motif qui plaira le mieux à votre enfant. Entraînez-vous éventuellement à la gouache sur du papier à dessin. Si vous ne faites pas confiance à vos talents, écrivez simplement le nom de votre enfant, et ajoutez-y quelques traits ou points bigarrés, et peut-être un bonhomme stylisé. De toute façon, il n'est pas indispensable de reproduire sur les verres ou la porcelaine de véritables œuvres d'art, car ce qui importe pour l'enfant, c'est qu'il ait de la vaisselle originale et multicolore.

PLANCHES POUR LE PETIT DÉJEUNER

Matériel

**une petite planche
en bois
un pyrograveur
du papier-calque
un crayon**

Votre enfant est-il fâché avec le petit déjeuner ? Alors, surprenez-le avec une planche originale. Utilisez à cet effet un pyrograveur qui vous permettra de dessiner tous les motifs imaginables sur le bois. N'oubliez surtout pas d'ajouter le nom de votre enfant (en particulier s'il a des frères et sœurs), voire sa date de naissance.

1. Reproduisez tout d'abord au crayon le motif et le nom de l'enfant sur la planche. Vous trouverez une grande quantité de motifs sur la feuille des patrons.

Pour travailler au pyrograveur, vous avez simplement besoin d'une prise de courant, d'un crayon et d'une petite planche en bois.

2. Repassez lentement sur votre dessin avec le pyrograveur.

Lorsque vous achetez la planche, veillez à ce qu'elle soit faite de bois tendre et ne présente pas de nœuds trop gros.

DES SETS DE TABLE
QUI OUVRENT L'APPÉTIT

Vous pouvez réaliser d'innombrables sets de table à partir de carton de couleur. Votre enfant a certainement aussi son motif préféré. Veillez à choisir des formes claires et simples et à utiliser du carton de couleur vive.

1. Reproduisez le modèle de nuage sur du carton bleu et celui du cerf-volant sur du papier de couleur, puis découpez-les.

2. Découpez dans du papier de couleurs différentes des nœuds pour la queue du cerf-volant.

3. Attachez un fil de laine au cerf-volant et collez ce dernier sur le nuage en donnant à la queue une forme adéquate.

4. Collez ensuite les petits nœuds sur la queue.

5. Recouvrez enfin le set de papier autocollant transparent. Vous pourrez ainsi l'essuyer facilement avec une serviette humide après le repas.

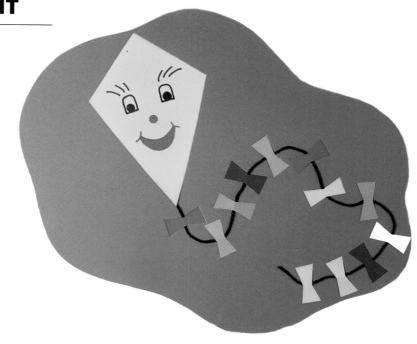

Matériel

du carton de couleur
du papier de couleur
des fils de laine
une feuille de
plastique autocollant
un crayon,
un feutre
des ciseaux
de la colle

Vous pouvez également décorer le modèle de base du nuage de papillons ou d'oiseaux. Si vous utilisez un fond vert, collez un hérisson, des fleurs ou une taupe.

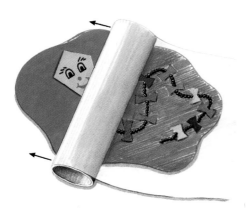

HUE, DADA !

Matériel

du carton de couleur
une perforatrice
un bâton rond (1 m de
long et 1 cm de ø)
des brins de laine
noire
1 m de cordelette
du papier crépon
un crayon
un feutre
des ciseaux

Ce cheval sera pour votre enfant le plus beau du monde. En outre, il est très facile à réaliser et n'entraîne pas de grandes dépenses. Essayez, vous serez certainement surpris !

1. Reproduisez le modèle de la tête de cheval sur du carton de couleur, découpez-le, puis dessinez le visage au feutre.

La tête de la monture sera plus solide si vous découpez deux motifs que vous collez l'un sur l'autre (vous pouvez même intercaler une épaisseur de carton plus rigide entre les deux).

2. Perforez le carton de couleur aux endroits indiqués.

3. Pour la crinière, coupez trois brins de laine de 15 à 20 cm de long pour chacun des trous réalisés. Superposez-les et pliez-les en deux, puis tordez l'endroit du pli afin de faciliter l'introduction dans l'orifice. D'un côté du carton se forme ainsi une boucle dans laquelle vous passerez les extrémités des brins de laine. Tirez bien pour serrer le nœud.

4. Il vous reste à fixer la tête de votre cheval sur le bâton. Posez le bâton côté crinière et marquez d'un trait deux endroits suffisamment distants l'un de l'autre et situés en face de trous existants. Percez ensuite le bâton à ces endroits (pour mieux illustrer les points 4 et 5, le dessin ci-dessous a été représenté sans la crinière).

5. Fixez enfin la tête du cheval au bâton. À cet effet, introduisez un brin de laine dans un trou du bâton et dans le trou correspondant sur le carton, puis nouez solidement.

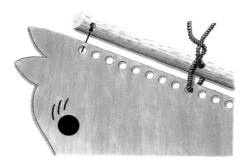

6. Découpez dans du papier crépon de nombreuses bandes longues et étroites que vous superposerez avant de les plier en deux.

Pour monter sur ce cheval, l'enfant passe les rênes autour du tronc. Avec son fier destrier, il peut ainsi galoper à loisir. Il organisera peut-être des courses avec ses frères et sœurs ou ses amis, ou bien s'essaiera au dressage.

7. Percez un trou dans le bâton à son extrémité inférieure, puis introduisez-y un brin de laine dont vous vous servirez pour attacher la queue de papier crépon.

8. Pour les rênes, percez avec des ciseaux le trou indiqué sur le cou du cheval et introduisez-y une cordelette ou un ruban. Nouez enfin les deux extrémités de la cordelette.

COUSSIN-CÂLIN

Matériel

du feutre noir, marron
et blanc
du fil à coudre noir
de la laine claire
deux yeux d'ours (dis-
ponibles dans un
magasin de bricolage)
de la ouate de rem-
bourrage
des ciseaux,
une aiguille
un crayon
un feutre
de la colle

En un tour de main, vous pouvez bricoler vous-même un joli petit coussin en feutre (pas en feutrine de bricolage) à l'intention des petits.

1. Reproduisez les modèles sur le feutre de la couleur correspondante, puis découpez les différents éléments.

2. Commencez par coudre les oreilles en laissant une petite ouverture pour rembourrer.

3. Pour le nez, collez le triangle noir sur le disque blanc. Dessinez ensuite la bouche au feutre.

5. Superposez les deux disques en feutre de la tête, entre lesquels vous attacherez les oreilles rembourrées.

Si ce coussin vous semble trop petit, il vous suffit d'agrandir le modèle. Dans ce cas, les yeux peuvent également être réalisés dans de petits disques de feutre. Pour le blanc des yeux, utilisez alors du fil à broder blanc.

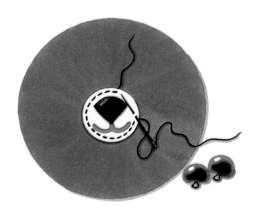

4. Cousez à présent au fil noir le nez sur le visage de l'ourson, puis fixez les yeux.

6. Cousez les deux parties ensemble avec un fil de laine clair en veillant à laisser une petite ouverture à la base (ne coupez pas le fil restant), puis procédez au rembourrage et refermez l'ouverture.

Nous avons choisi de vous montrer un ourson, mais avec un peu d'imagination et quelques menus changements, vous pourrez confectionner d'autres animaux. Par exemple, coupez les oreilles en pointe et cousez une moustache... Vous obtiendrez un mignon petit chat !

JEU DE L'OIE

Matériel

une planche de contre-
plaqué ou d'aggloméré
(20 x 30 cm)
de la peinture
couvrante
un pinceau et
un crayon

Le jeu de l'oie compte parmi l'un des premiers jeux de société auquel vous pouvez
jouer avec de jeunes enfants. Si le bambin
n'est pas encore à même de compter les
points sur un dé, prenez un dé à couleurs.

Le mieux serait de vous procurer d'abord
le dé à couleurs, puis seulement de peindre les cases du jeu selon les couleurs du
dé.

Sur notre modèle, vous voyez ainsi une
fusée qui se dirige vers la lune, mais,
comme toujours, rien ne vous empêche
d'employer des motifs différents. Vous
pouvez par exemple peindre un camion de
pompiers qui roule à toute allure vers une
maison en feu, une souris qui cherche son
chemin vers le fromage, une abeille qui
vole vers un champ de fleurs, ou encore
un enfant qui court vers une aire de jeux.

Voici comment vous y prendre...

1. Si vous voulez une surface de jeu entièrement colorée, commencez par appliquer une couche de fond que vous laisserez sécher avant de reproduire le
modèle du jeu sur la planche.

2. Peignez les cases et les motifs dans les
couleurs adéquates.

3. Une fois que la couleur est bien sèche,
vous pouvez vernir le tout. Pour ce jeu,
nous avons utilisé de la peinture couvrante. Si vous estimez que cela ne vaut
pas la peine d'en acheter, essayez avec
de la peinture à l'eau ou de la gouache
et appliquez ensuite une couche de
vernis incolore. Faites un essai au dos
de votre planche avant de vous lancer.

Au lieu d'une planche
en bois, vous pouvez
aussi utiliser un carton
plat et rigide. Quoi
qu'il en soit, la surface
du plateau de jeu ne
devrait pas dépasser
50 x 30 cm, afin que
tous les joueurs puis-
sent déplacer eux-
mêmes leurs pions.

Proposition de jeu

Quand on joue avec un dé à couleurs
(convenant aux tout-petits), on peut poser
son pion sur la couleur obtenue au lancer
du dé. Si on utilise un dé avec des chiffres
(convenant à partir de l'âge préscolaire), il
faut bien sûr compter les points sur le dé.

Le jeu durera plus longtemps si vous prenez un dé qui ne comporte que de un à
trois points par face maximum.

Pour les plus grands, vous pouvez compli-
quer un peu les règles du jeu :

– celui qui s'arrête sur une case rouge
passe son tour ;

– celui qui s'arrête sur une case bleue
peut rejouer ;

– celui qui s'arrête sur une case verte doit
raconter une histoire drôle ;

– celui qui s'arrête sur une case jaune
change de place avec celui qui le pré-
cède.

Vous pouvez vous contenter d'utiliser les pions d'autres jeux, mais vous pouvez aussi les confectionner vous-même en sciant des cylindres de 2 à 3 cm de long dans un goujon de bois. Polissez-les bien, puis peignez-les de diverses couleurs.

Votre enfant ou vous-même aurez certainement d'autres idées pour les règles du jeu. Quant au nombre de participants, il ne doit pas être trop élevé, l'idéal étant de jouer à quatre.

TOURBILLON DANS UN BOCAL

Matériel

un pot à confiture
de la glycérine et
de l'eau
des petites figurines
des paillettes
une cuiller à café
de la colle

Pour faire «neiger dans un bocal», nul besoin d'acheter un gadget coûteux, car votre enfant s'émerveillera tout autant devant celui que vous aurez fabriqué vous-même.

1. Nettoyez soigneusement le pot à confiture et son couvercle, puis laissez-les sécher (les surfaces à coller doivent toujours être bien propres et sèches, sans quoi même la meilleure colle n'adhère pas).

2. Collez ensuite les figurines sur le couvercle du bocal.

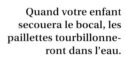

3. Remplissez le bocal avec 1/3 d'eau et 2/3 de glycérine. Ajoutez 1 à 2 cuillers à café de paillettes. Vous pouvez aussi utiliser des étoiles brillantes ou toute autre décoration similaire.

4. Mélangez bien le tout et refermez le bocal à fond. Si vous le souhaitez, vous pouvez coller le couvercle pour plus de sécurité.

Quand votre enfant secouera le bocal, les paillettes tourbillonneront dans l'eau.

LES PREMIERS PANTINS

Outre les marottes, les pantins plaisent beaucoup aux enfants. Ceux-ci sont fascinés par ses mouvements et suivent le récit avec la plus grande attention. Rapidement, votre enfant aura à cœur de vous jouer quelque chose lui-même.

CLOWN

1. Découpez avec les ciseaux dentelés un carré de 25 cm de côté dans du tissu bigarré. Découpez ensuite deux disques de couleurs différentes (4,7 cm de diamètre) dans du feutre pour le col.

2. Soulevez le carré de tissu par son centre, puis entourez de fil à coudre la pointe ainsi formée. Attachez du fil à coudre à la petite boule de bois, puis passez ce fil dans la pointe de tissu, de

façon à ce que la petite boule de bois soit cachée par celui-ci.

3. Collez les deux disques de feutre pour le col en quelques points, puis percez un trou au centre, par lequel vous introduirez le fil à coudre et la pointe du tissu. Enfilez ensuite le fil dans la grosse boule de bois. Trempez la pointe de tissu dans de la colle et enfoncez-la aussi loin que possible dans le trou de la grosse boule en bois. Coupez le fil à coudre à 25 cm de la grosse boule de bois, puis nouez-le au centre du bâton. Enduisez le nœud de colle pour bien le fixer.

4. À ce stade, votre clown est encore chauve ! Prenez des brins de laine de 15 cm environ, posez-les les uns à côté des autres, puis fixez-les ensemble à 3 cm de longueur environ avec du fil à coudre. Collez cette houppe sur le trou de la boule de bois.

5. Enfin, dessinez le visage avec un pinceau et de la couleur.

6. Attachez une perle de bois aux quatre coins du tissu. Aux coins représentant les bras, cousez un fil que vous enfilerez dans la petite boule de bois et fixerez au bâton à la longueur adéquate. Vous pouvez fixer les perles des pieds avec de la colle. Glissez et collez encore une petite boule de bois à chaque extrémité du bâton.

Matériel

des chutes de tissu
bigarré
du feutre
des brins de laine
2 boules de bois (une
grande et une petite)
percées d'un trou de
1 cm de ø
4 petites perles de bois
un bâton (25 cm de
long et 1 cm de ø)
des ciseaux dentelés
de la couleur et
un pinceau
du fil à coudre et
de la colle

**Ces pantins sont très
simples à réaliser et
leur manipulation est
un jeu d'enfant.
Essayez vous-même !**

SORCIÈRE

En principe, vous pouvez confectionner la sorcière comme vous l'avez fait pour le clown. Pour son vêtement, utilisez cependant un morceau de tissu uni et un autre de couleur vive.

1. Superposez les deux types de tissu, puis suivez la même démarche à partir du point 2. Le point 3 tombe, puisque la sorcière n'a pas de col.

2. Pour faire les cheveux ébouriffés, enroulez de la laine transversalement autour d'un bloc de dessin DIN A4. Rassemblez la laine au centre et attachez-la avec un autre brin de laine.

3. Enduisez l'arrière de la tête de colle, puis fixez la « coiffe » à la grosse perle de bois en dissimulant le trou ; appuyez

fermement sur la perle de bois. Quand la colle est bien sèche, coupez la boucle. Crêpez bien les cheveux.

4. Pour faire le balai, prenez le fin bâton et attachez-y des brindilles de bouleau avec du fil de fer très fin.

5. De part et d'autre du balai, fixez un fil que vous nouerez et collerez au bâton principal.

6. Pour que le vêtement tombe bien, collez au balai quelques endroits de la pièce de tissu inférieure.

CRACOU

Cracou est un animal imaginaire grâce auquel votre enfant et vous-même pouvez raconter ou jouer toutes sortes d'histoires ou autres aventures, vraisemblables autant qu'invraisemblables.

1. Raccourcissez le rouleau de papier ménage à 20 cm environ. Pour le cou, percez un trou à une extrémité du rouleau, puis introduisez-y un morceau de

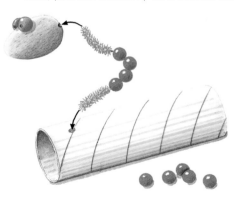

cure-pipe de 10 cm environ, au bout duquel vous ferez un petit nœud pour éviter qu'il ne ressorte du trou. Enfilez sur le cure-pipe six perles environ, puis la boule de bois que vous collerez pour plus de solidité. Collez sur la tête un peu de duvet ainsi que deux perles de bois en guise d'yeux.

2. Enfoncez à présent dans le ventre 4 pattes en cure-pipe d'environ 10 cm de long. À leur extrémité inférieure, attachez à chaque fois une perle de bois et un petit gobelet en plastique dont vous aurez préalablement percé le

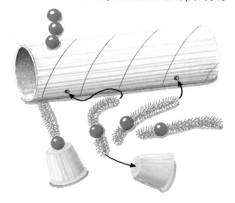

fond. Repliez enfin les pointes des cure-pipes à l'intérieur des gobelets afin que ceux-ci ne se détachent pas.

3. Cracou a maintenant une tête, un cou, un corps, des jambes et des pieds. Il ne lui manque plus qu'un pelage. À cet effet, enduisez le rouleau de papier

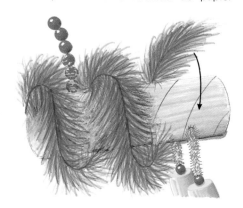

ménage de colle, puis enroulez du boa de plumes synthétiques tout autour de celui-ci. Commencez par l'avant du corps, de sorte que le reste du boa serve de queue. Pour une queue plus ébouriffée, n'hésitez pas à ajouter un deuxième morceau de boa.

4. Attachez une perle de bois à un fil que vous passerez dans le bas du dos de Cracou avant de le fixer au bâton. Raccordez également la tête au bâton au moyen d'un fil.

5. Pour apporter la touche finale, bouchez les ouvertures du rouleau de papier ménage en y enfonçant des petites boules de papier crépon d'une couleur adéquate.

Matériel

un bâton de 25 cm de long, 1 cm de ø
un rouleau de papier ménage vide
du cure-pipe (50 cm)
4 petits gobelets en plastique
12 perles en bois
1 boule de bois
du fin boa de plumes synthétiques
quelques plumes
des ciseaux
de la colle
de la ficelle

Un jouet que l'on achète, c'est déjà très bien, mais les possibilités de jeu offertes à l'enfant restent bien souvent limitées.

Avec divers matériaux trouvés dans la nature, objets d'usage courant ou trésors sortis de la boîte à jouets — et un zeste d'imagination —, vous pouvez créer de véritables espaces de jeu dans lesquels le jouet préféré de votre enfant retrouvera tout son attrait.

ENLÈVEMENT
DES IMMONDICES

Les enfants sont fascinés par la police et les pompiers, mais pourquoi ne pas les sensibiliser au travail des services de voirie. Ils sont tous les jours confrontés aux problèmes des déchets et le gros camion qui sillonne la ville pour y enlever les ordures peut être tout aussi intéressant qu'une voiture de pompiers.

Vous pouvez aider votre enfant à trouver des « déchets » à enlever avec le petit camion d'éboueurs qui est dans sa caisse à jouets. Construisez ensemble un espace de jeu où il est possible d'effectuer le ramassage de paquets de journaux et de sacs jaunes ou de vider des poubelles marron, que vous aurez remplis de glands ou de châtaignes, et de les acheminer vers les décharges adéquates. (Voir p. 120.)

À LA FERME

Votre enfant a-t-il parmi ses jouets des tracteurs, des machines agricoles, voire une ferme avec ses différentes annexes ?

Apprenez-lui comment gérer son exploitation ! (Voir p.121.)

PAYSAGE LACUSTRE

Voici à présent une alternative aux traditionnels jeux avec des bateaux dans la baignoire. Au début, pour les enfants, jeux de bateaux rime presque exclusivement avec jeux d'eau. Par la suite, l'élément liquide perd de son importance et devient le prétexte au vagabondage de l'imaginaire, où l'enfant devient par exemple capitaine, pirate ou chasseur de monstres marins. (Voir p.122.)

L'UNIVERS
DES DINOSAURES

Les sauriens sont pour le moment très en vogue chez les enfants, et les tout-petits ne sont pas épargnés par cette « fièvre » du dinosaure. De nombreux livres, films ou reportages télévisés sont consacrés à ces monstres d'un autre âge et tentent de représenter la Terre telle qu'elle était à l'époque.

Si vous avez déjà des dinosaures, créez avec votre enfant un monde préhistorique avec un volcan, des grottes, des arbres, des buissons, des montagnes et des lacs. (Voir p. 123.)

MAISON DE POUPÉE

Le meilleur endroit pour ranger des meubles et des vêtements de poupée — et bien sûr pour les poupées elles-mêmes — c'est... une maison de poupée ! Rien ne vous oblige à en acheter une toute faite, car avec un minimum de préparation vous pourrez facilement en fabriquer une avec votre enfant ou pour lui. En outre, cette maison présente l'avantage de pouvoir être transformée (par exemple en immeuble à plusieurs étages) à tout moment et selon vos désirs. (Voir p. 125.)

FORÊT D'AUTOMNE

Votre enfant fait-il partie de ces petits collectionneurs et fureteurs qui reviennent d'une promenade en forêt, les poches pleines à craquer de branches, feuilles, fruits secs, morceaux d'écorce et autres mousses ? Si oui, exploitez donc tous ces matériaux pour fabriquer ce petit sous-bois d'intérieur. L'enfant pourra y faire évoluer des animaux en peluche, comme un petit lapin, un hérisson ou une souris. (Voir p.126.)

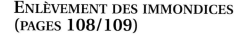

plusieurs boîtes à chaussures
de la peinture couvrante
du papier et du carton de couleur
du papier crépon
des journaux
un pot de yaourt (500 g)
des glands, des châtaignes
de la colle à tapisser
de la colle
des bandes de ruban adhésif

ENLÈVEMENT DES IMMONDICES (PAGES 108/109)

Ce jeu est l'occasion idéale d'apprendre à votre enfant comment éviter de produire trop de déchets. Indiquez-lui que les ordures inévitables doivent au moins être triées en vue d'un recyclage. Si vous avez des bouteilles et du papier à jeter, emmenez-le avec vous aux conteneurs à verre et à papier. Réfléchissez avec lui quand vous vous débarrassez de quelque chose : dans quelle poubelle jeter vos déchets ? Si c'est possible, demandez à votre enfant d'aller lui-même porter les déchets organiques au compost dans le jardin.

Conteneur à papier

Demandez à l'enfant de recouvrir un pot de yaourt de morceaux de papier journal et de colle à tapisser. Pratiquez une ouverture dans la partie supérieure du conteneur, afin de pouvoir y introduire les paquets de papier.

Paquets de papier

Roulez une demi-feuille de papier journal et aplatissez-la. Découpez le rouleau aplati en petits morceaux que vous superposerez et attacherez ensemble au moyen de ruban adhésif.

Dépôt d'ordures

Prenez une boîte à chaussures et découpez-en un côté étroit jusqu'à mi-hauteur. Votre enfant peut ensuite la peindre ou la décorer en jaune par exemple, afin de recevoir des sacs poubelles de même couleur.

Sacs jaunes

Coupez une bande de 4 cm sur 15 dans du papier crépon de couleur jaune.

Pliez-la en deux et collez les côtés longitudinaux. Chiffonnez un peu de papier journal et bourrez-en le sac avant de le refermer avec un brin de laine.

Maisons

Il ne manque plus que les maisons devant lesquelles seront déposés les sacs de déchets avant le ramassage. Vous aurez besoin d'une boîte à chaussures par maison.

1. Demandez à l'enfant de peindre la boîte à chaussures. Une fois la maison bien sèche, posez-la sur sa longueur.

2. L'enfant peut découper des fenêtres et des portes dans du papier de couleur et les coller sur la boîte.

3. S'il en a envie, il peut aussi dessiner et colorier des fleurs et des rideaux aux fenêtres ou bien des fleurs à la base du mur, voire un lierre grimpant le long de celui-ci.

4. Si vous le souhaitez, vous pouvez donner un toit à votre maison. Découpez à

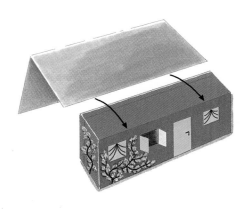

cet effet un morceau de carton de couleur aux dimensions adéquates, puis pliez-le en son centre. Vous pouvez ménager un petit dépassant, mais il faut savoir que la toiture tiendra mieux si vous la repliez vers l'intérieur, de chaque côté, sur quelques centimètres de large. Collez ensuite le toit longitudinalement sur la maison.

Votre enfant peut maintenant poser les maisons à différents endroits dans la pièce et déposer des poubelles devant les façades. Il ramassera dans un premier temps le papier et le conduira vers le conteneur correspondant. Il collectera ensuite les sacs, qu'il acheminera vers les conteneurs adéquats, et enfin les déchets biodégradables, par exemple les grains de maïs, les épis et les noisettes et les emmènera à la décharge.

Votre enfant aura peut-être envie de s'investir davantage dans le domaine de l'environnement. Jouez donc avec lui à un jeu de société ou lisez-lui un livre d'images sur le sujet.

À LA FERME (PAGES 110/111)

Prés et champs

Si vous n'avez pas beaucoup de temps, donnez simplement à votre enfant une feuille de carton marron pour le champ et une autre de carton vert pour la prairie. Prairie et champ dureront cependant plus longtemps si vous les collez sur du carton ou sur une planche d'aggloméré.

Clôtures

Pour clôturer les prairies, confectionnez avec votre enfant des clôtures avec des bâtonnets à esquimau. Celles-ci se composent d'éléments séparés, constitués chacun de deux bâtonnets et de deux bouchons. Posez les bâtonnets parallèlement l'un à l'autre à environ 1 cm de distance, puis collez les bouchons à droite et à gauche, à environ 1 cm de l'extrémité des bâtonnets. L'enfant disposera les éléments comme il l'entend et ceux-ci pourront bien sûr être déplacés.

La récolte

1. Les grains de maïs, tranches d'épis de maïs, châtaignes et glands conviennent parfaitement au transport dans une remorque attelée à un tracteur.

2. L'enfant a besoin de bottes de foin pour son champ ? Pas de problème ! Coupez avec lui un peu d'herbe sur le bord du chemin et étalez-la au soleil

Matériel

du carton de couleur verte, jaune et marron de la paille et du foin des élastiques jaunes ou du raphia des petits bâtons du maïs des châtaignes ou des glands des bâtons à esquimau des bouchons de liège

pour la faire sécher. Si vous la retournez fréquemment, l'herbe séchera plus vite. Bien sûr, le foin ne se transporte pas en vrac sur un chariot : liez-le en bottes avec un brin de raphia ou un élastique jaune.

3. Si vous pouvez vous procurer de la paille, liez-la en petites bottes et coupez ces dernières à la longueur souhaitée.

4. Les fermiers transportent aussi des troncs d'arbres. Liez à cet effet des brindilles dont vous aurez coupé des segments de même longueur.

5. Laissez votre enfant fabriquer des silos ou des hangars avec des blocs de jeux de construction ou mettez à sa disposition de petits paniers ou des boîtes.

Si vous en avez la possibilité, visitez une ferme avec votre enfant ou bien regardez, lors d'une promenade, un fermier qui laboure son champ ou récolte du foin. L'enfant observera certainement tous ces travaux avec beaucoup d'intérêt et, une fois de retour à la maison, il appliquera ce qu'il a vu dans ses jeux.

Paysage lacustre pages 112/113)

Le lac et ses rives

Matériel
un morceau de tissu bleu
des pierres
des écorces d'arbre
de l'herbe
un couvercle de boîte à chaussures
de l'oasis
du papier crépon
des petits bâtons
du carton vert et jaune
des petits personnages
des bateaux
de la colle

1. Pour créer un paysage lacustre, prenez un morceau de tissu bleu, sur les bords duquel votre enfant posera des pierres et des bouts d'écorce.

2. Comme il n'y a pas de lac sans joncs, découpez un morceau d'oasis d'une épaisseur de 3 cm environ que vous emballerez dans du papier crépon marron et que vous collerez dans un couvercle de boîte à chaussures. Votre enfant pourra ensuite y piquer de hautes herbes pour former une rive. À

cet égard, nous vous recommandons de rassembler les brins d'herbe par trois ou quatre et de les enfoncer ensemble dans l'oasis à travers le papier crépon.

3. Si vous désirez aussi former un petit buisson sur la rive, procédez de la même manière que pour les joncs. Au lieu de l'herbe, enfoncez dans l'oasis des branches d'arbre. Nous vous recommandons ici des plantes vivaces comme du laurier ou du thuya.

Ponton

Pour que votre lac devienne plus vrai que nature, il lui faut aussi un ou plusieurs pontons. Votre enfant pourra en réaliser à partir de bâtonnets à esquimau (les spatules employées par le médecin pour examiner la gorge conviennent encore mieux).

1. Posez plusieurs bâtonnets côte à côte et collez-en deux autres, perpendiculairement aux premiers, chacun à environ 1 cm des extrémités.

2. Collez un côté du ponton sur deux pierres de taille adéquate. Côté lac, l'enfant posera le ponton sur deux autres pierres.

Si votre enfant possède un jeu de pêche, « plongez » aussi quelques poissons dans le lac ! En plaçant un bonhomme sur le ponton, votre enfant pourra ainsi s'essayer à la pêche à la ligne !

Radeau

Pour confectionner un radeau, assemblez des bâtonnets à esquimau comme pour le ponton.

1. Enfichez deux bouchons de liège sur un cure-dents. Pour ce faire, enfoncez un cure-dents dans un bouchon, puis raccourcissez ensuite légèrement le cure-dents et enfoncez l'autre bouchon.

2. Collez les doubles bouchons sur l'envers du radeau, dans le sens de la largeur.

3. Si vous le désirez, vous pouvez placer une petite boule de pâte à modeler au centre du radeau, y enfoncer une petite branche en guise de mât et coller un bout de papier à celui-ci pour représenter la voile.

Vous pouvez élargir le paysage lacustre en plaçant du carton de couleur verte d'un côté du lac pour symboliser une prairie, et du carton jaune le long d'une autre rive pour créer une plage. La prairie pourra accueillir des animaux, et si votre enfant possède des petits personnages, il pourra les placer sur la plage ou sur l'aire de jeu, où ils s'amuseront en attendant le marchand de glace !

L'UNIVERS DES DINOSAURES (PAGES 114/115)

Volcan

Une planche d'aggloméré formera la base du volcan, dont vous déterminerez à votre guise la taille et la forme.

1. Pliez le treillis de fil de fer métallique de manière à lui donner la forme d'un volcan. Imbriquez les côtés l'un dans l'autre et repliez quelques centimètres des bords supérieurs vers l'intérieur.

Clouez la base sur la planche d'aggloméré.

2. L'enfant encolle des lambeaux de papier journal et les applique sur le treillis. Le volcan aura besoin de plusieurs couches afin d'être bien solide. Veillez à recouvrir le pied du volcan en dépassant sur la planche d'aggloméré afin de dissimuler la transition du treillis à la planche.

3. Une fois le volcan sec, l'enfant pourra le recouvrir d'une épaisse couche de peinture. Il peut éventuellement appliquer plusieurs couches, en veillant toutefois à toujours laisser sécher entièrement la précédente.

L'environnement des dinosaures comprend également des montagnes. Si vous le désirez, vous pouvez fabriquer des

Matériel

**du treillis métallique (utilisé pour les poussins)
une planche d'aggloméré (50 x 70 cm maximum)
du papier journal
de la colle à tapisser
du papier blanc
de la gouache**

Après le collage, il faudra attendre quelques jours pour que le volcan soit tout à fait sec.

montagnes en suivant le même principe que pour le volcan, mais au lieu de laisser le sommet ouvert, vous refermerez la montagne en imbriquant les côtés du treillis les uns dans les autres.

Il est cependant plus facile de réaliser des montagnes de pierres, ramassées par l'enfant au cours de promenades et simplement superposées.

Si vous êtes un habile bricoleur ou si vous en connaissez un, vous pouvez fixer une ampoule rouge dans le volcan. Forez dans ce cas un trou dans la planche d'aggloméré avant de commencer le bricolage afin d'y faire passer le fil électrique. Attention : n'utilisez pas une ampoule trop puissante pour éviter qu'elle ne surchauffe le montage !

Matériel
des rouleaux de papier ménage et de papier hygiénique du papier crépon ou du papier de couleur verte des ciseaux de la colle

Grottes

Ce sont surtout les petits dinosaures qui cherchaient refuge dans les bois ou les grottes. Les petits sauriens de votre enfant en ont bien sûr besoin pour s'abriter !

1. L'enfant découpe une ouverture dans un côté de la boîte à chaussures pour créer l'entrée de la grotte.

Matériel
une boîte à chaussures du papier crépon marron des ciseaux de la colle

Matériel
un couvercle de boîte à chaussures du papier crépon bleu de la colle

2. Découpez grossièrement le papier crépon pour emballer la grotte, de sorte qu'il ne suive pas les parois de la boîte à chaussures, mais puisse être un peu chiffonné et « bosselé » par l'enfant.

3. Pour fixer « l'emballage » de la boîte à chaussures, posez celle-ci à l'envers et recouvrez-la du papier crépon marron. Collez uniquement les côtés de la grotte afin de pouvoir glisser entre le « toit » et le papier des boules de papier journal pour que la surface ne soit pas trop régulière.

Arbres et arbustes

Des rouleaux de papier ménage vides permettent de confectionner de magnifiques arbres. Pour les arbustes, utilisez plutôt des rouleaux de papier hygiénique vides.

1. Découpez une large bande de papier crépon (20 à 30 cm de large) et deman-

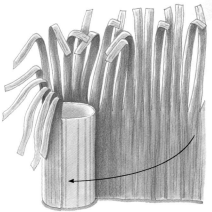

dez à votre enfant d'y pratiquer des entailles de 1 à 1,5 cm de large sur 15 cm de long.

2. Encollez une extrémité du rouleau de papier. L'enfant vient ensuite y appliquer le côté non entaillé de la bande de papier. Les parties de la bande qui se chevauchent seront également encollées.

Le lac des dinosaures

Si votre enfant possède des sauriens marins comme le plésiosaure ou l'ichtyosaure, vous pouvez aussi leur préparer un environnement adéquat. Prenez à cet effet le couvercle d'une grande boîte à chaussures que votre enfant recouvrira de papier crépon ou de papier de soie bleu, voire de tissu.

MAISON DE POUPÉE (PAGES 116/117)

Une maison de rêve

1. Prenez un carton solide de la taille de votre choix. Peignez-le avec votre enfant et laissez-le bien sécher.

2. Tapissez les murs intérieurs avec des chutes de papier peint ou du papier

cadeau. Couvrez le sol de moquette ou de feutre.

3. Vous pouvez bien sûr découper une fenêtre dans le mur. Utilisez pour ce faire un couteau à moquette ou un cutter. Collez un morceau de dessous-de-plat en dentelle ou une serviette fine en guise de rideaux. Si vous avez un morceau de rideau ou une chute de tissu fin sous la main, vous pouvez aussi vous en servir pour décorer la fenêtre.

4. Votre maison peut bien sûr recevoir un toit. Prenez du carton de couleur que vous pliez en son centre. Appliquez de la colle épaisse sur les côtés de la maison (un pistolet à coller est conseillé), puis posez le toit avec précision et appuyez fortement. Pour renforcer l'ensemble, vous pouvez coller un rou-

leau de papier ménage horizontalement sous le toit (placez-le à 5 cm du bord, contre le carton de couleur).

5. Toute la famille poupée peut maintenant emménager.

Écurie et autres bâtiments

Vous pouvez confectionner d'autres bâtiments — par exemple un magasin, un salon de coiffure, voire une écurie ! — en appliquant la même technique.

Pour l'écurie, il vous suffira d'aménager en plus une grande porte, que vous découperez au cutter. Pour pouvoir fermer les battants, collez sur chacun d'eux un anneau formé d'une bande de carton de couleur et glissez dans ces anneaux un bâtonnet. Sur le sol, vous collerez une

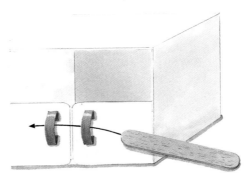

feuille de papier crépon jaune, puisque dans les écuries, le sol est recouvert de paille.

À côté de l'écurie se trouve bien sûr une prairie, que vous réaliserez en carton de couleur. L'enfant y collera des fleurs découpées dans du papier de soie (voir page 43), tandis qu'une petite boîte décorée de papier de couleur servira d'abreuvoir. Placez-y des boulettes de papier journal, que vous recouvrirez de papier crépon bleu pour symboliser l'eau.

Matériel

des boîtes en carton rigides
du carton de couleur
des chutes de papier peint
des chutes de feutre et de moquette
de la peinture couvrante
des dessous-de-plat en dentelle
des serviettes
de la colle

Forêt d'automne
(pages 118/119)

Matériel

**un carton rigide ou
une caisse en bois
de l'oasis
une petite boîte à
chaussures
un pot de yaourt vide
(500 g)
du papier crépon
marron
des matériaux trouvés
dans la nature
de la colle**

Vous aurez besoin de beaucoup de feuilles pour remplir la caisse. Pour la décoration, utilisez des écorces, de la mousse, des petits bâtons, des fruits tels des châtaignes, des glands, etc.

À chaque animal sa petite maison

1. À partir d'une petite boîte à chaussures, confectionnez un nid pour que le hérisson puisse hiberner. Découpez un côté de la boîte, puis recouvrez le reste de papier crépon marron.

2. Avec le pot de yaourt, fabriquez un terrier. Recouvrez-le également de papier crépon marron.

La caisse se transforme en forêt

Le carton ou la caisse en bois sert de base à la petite forêt.

1. Avec votre enfant, vous pouvez peindre le carton ou le recouvrir de papier crépon. S'il s'agit d'une caisse en bois, vous pouvez aussi la laisser telle quelle.

2. Collez deux blocs d'oasis dans la caisse. Pour ce faire, utilisez éventuellement

un pistolet à coller. Placez ensuite le nid du hérisson et le terrier.

3. L'enfant recouvre le nid du hérisson avec des feuilles et des brindilles pour le camoufler, et il recouvre le terrier de feuilles.

4. Occupez-vous maintenant du sol de la forêt : disposez de la mousse, des feuilles, des petits bâtons, des pommes de pin, des glands, des châtaignes et des écorces.

5. L'enfant enfonce des branches de feuillus ou de sapins dans l'oasis.

6. Les animaux de la forêt (de petites peluches) peuvent maintenant emménager. Dans les arbres, vous pouvez peut-être ajouter un petit nid (voir page 64) ou placer une chouette. Vous trouverez oiseaux et chouettes dans un magasin d'articles de bricolage.

Avec les animaux en peluche, votre enfant peut jouer des histoires imaginaires ou tirées de livres d'images.

Si vous possédez un jardin, vous pouvez construire un véritable nid d'hibernation pour les hérissons. Creusez un trou de 40 cm sur 40, que vous tapisserez de pierres ou d'ardoises (ou bien utilisez un cageot à fruits vide). Recouvrez ensuite d'une couche épaisse d'écorces et de feuilles. Pensez à laisser une ouverture, sinon le hérisson ne pourra pas entrer !

INDEX THÉMATIQUE

Photos : Achim Kalk
Styling : Barbara Kalk
Dessins : Ulrike Hoffmann

©1994 Falken-Verlag GmbH, 65527 Niederhausen/TS, Germany sous le titre *Basteln mit Kleinkindern*

© Casterman 1995
Traduction française : Vincent Deligne et Marie-Caroline Frappart
ISBN 2-203-14423-8

Imprimé en Belgique.
Dépôt légal septembre 1995; D1995/0053/211
Déposé au Ministère de la Justice, Paris
(loi n°49.956 du 16 juillet 1949 sur les publications destinées à la jeunesse).